ADIVINHAÇÃO E SINCRONICIDADE

BIBLIOTECA CULTRIX
DE PSICOLOGIA JUNGUIANA

Marie-Louise von Franz

ADIVINHAÇÃO E SINCRONICIDADE

Um Estudo sobre o Tempo Psicológico e
Probabilidade na Astrologia, no Tarô, no I Ching,
na Quiromancia e na Numerologia

Tradução
Álvaro Cabral

Título do original: *On Divination and Synchronicity – The Psychology of Meaningful Chance.*

Copyright © 1980 Marie-Louise von Franz.

Copyright da edição brasileira © 1985, 2022 Editora Pensamento-Cultrix Ltda.

2ª edição 2022./1ª reimpressão 2025.

Todos os direitos reservados. Nenhuma parte desta obra pode ser reproduzida ou usada de qualquer forma ou por qualquer meio, eletrônico ou mecânico, inclusive fotocópias, gravações ou sistema de armazenamento em banco de dados, sem permissão por escrito, exceto nos casos de trechos curtos citados em resenhas críticas ou artigos de revistas.

A Editora Cultrix não se responsabiliza por eventuais mudanças ocorridas nos endereços convencionais ou eletrônicos citados neste livro.

Obs.: Publicado anteriormente com o subtítulo *A Psicologia da Probabilidade Significativa.*

Editor: Adilson Silva Ramachandra
Gerente editorial: Roseli de S. Ferraz
Gerente de produção editorial: Indiara Faria Kayo
Editoração Eletrônica: Join Bureau
Revisão: Claudete Agua de Melo

Dados Internacionais de Catalogação na Publicação (CIP)
(Câmara Brasileira do Livro, SP, Brasil)

Franz, Marie-Louise von, 1915-1998
    Adivinhação e sincronicidade: um estudo sobre o tempo psicológico e probabilidade na astrologia, no Tarô, no I Ching, na Quiromancia e na Numerologia / Marie-Louise von Franz; tradução Álvaro Cabral. – 2. ed. – São Paulo: Editora Cultrix, 2022. – (Biblioteca Cultrix de psicologia junguiana)

    Título original: On divination and synchronicity: the psychology of meaningful chance
    ISBN 978-65-5736-157-3

    1. Adivinhação 2. Coincidência – Aspectos psíquicos 3. Jung, C. G. (Carl Gustav), 1875-1961 4. Psicologia junguiana I. Título II. Série.

22-106648   CDD-133.3

Índices para catálogo sistemático:
1. Adivinhação: Ocultismo 133.3
Maria Alice Ferreira – Bibliotecária – CRB-8/7964

Direitos de tradução para a língua portuguesa adquiridos com exclusividade
pela EDITORA PENSAMENTO-CULTRIX LTDA., que se reserva a
propriedade literária desta tradução.
Rua Dr. Mário Vicente, 368 — 04270-000 — São Paulo, SP – Fone: (11) 2066-9000
http://www.editoracultrix.com.br
E-mail: atendimento@editoracultrix.com.br
Foi feito o depósito legal.

SUMÁRIO

1ª Palestra 7

2ª Palestra 45

3ª Palestra 87

4ª Palestra 125

5ª Palestra 167

Este livro baseia-se na transcrição, feita por Una Thomas, da série de conferências realizadas pela dra. Marie-Louise von Franz, no Instituto C. G. Jung, de Zurique, no outono de 1969. A autora e o editor são gratos a Una Thomas por seu cuidadoso preparo da versão original. O texto, em sua presente forma, foi revisto para publicação por Daryl Sharp e Marion Woodman.

1ª PALESTRA

Talvez o leitor conheça o divertido fato de que, originalmente, a adivinhação sempre era praticada em igrejas. Os antigos judeus, por exemplo, tinham um oráculo divinatório em seus santuários de Jerusalém e, em certas ocasiões, quando o sacerdote queria consultar Jeová, ele tentava descobrir, por meio desses oráculos, a vontade de Deus. Em todas as civilizações primitivas, técnicas de adivinhação foram usadas para descobrir o que Deus ou os deuses queriam; contudo, com o passar do tempo, esse hábito foi abandonado e superado; converteu-se, então, em uma prática secreta, mágica e desprezada; porém hoje essa palestra está sendo realizada na *Kirchgemeinde* (igreja paroquial), uma pequena e agradável sincronicidade.

A visão de mundo que Jung procurou repor em foco e na qual a adivinhação basicamente se assenta é a da sincronicidade; por conseguinte, antes de entrarmos em detalhes acerca dos problemas da adivinhação, cumpre recordar o que Jung disse a respeito da sincronicidade. Em seu prefácio para a tradução de Richard Wilhelm do livro *I Ching* ou *O Livro das Mutações*,[*] ele nos oferece um excelente resumo da diferença entre pensamento causal e pensamento sincronístico. O primeiro é, por assim dizer, linear. Existe uma sequência de eventos, A, B, C, D, e nós pensamos de trás para a frente, perguntando-nos por que razão D aparece em consequência de C, C em consequência de B e B em consequência de A, à semelhança de alguma espécie de evento interno ou externo. Tentamos reconstituir em nossa mente, em retrospecto, os motivos pelos quais esses efeitos coordenados funcionaram.

Graças às investigações dos físicos modernos, sabemos ter sido agora provado que esse princípio, no nível microfísico, deixou de ser completamente válido; já não podemos pensar na causalidade como lei absoluta, mas apenas como uma tendência ou probabilidade dominante. Assim, está demonstrado que a causalidade é um modo de pensar que satisfaz a nossa apreensão mental de um conjunto de eventos físicos, mas não atinge completamente o âmago das leis naturais, limitando-se a delinear tendências ou possibilidades gerais. Ao pensamento sincronístico,

---

[*] *I Ching – O Livro das Mutações*. São Paulo, Editora Pensamento, 1984.

por outro lado, podemos chamar pensamento de campo, cujo centro é o tempo.

O tempo também participa da causalidade, uma vez que, normalmente, pensamos que a causa vem antes do efeito. Na física moderna, por vezes parece que o efeito ocorreu antes da causa e, portanto, os físicos tentam dar-lhe uma viravolta e dizer que ainda poderemos chamar isso de causal; mas penso que Jung está certo ao afirmar que este tipo de procedimento amplia e distorce a ideia de causalidade *ad absurdum*, a ponto de lhe roubar todo o significado. Normalmente, a causa vem sempre antes do efeito, de modo que há também uma ideia linear de tempo, antes e depois, com o efeito sempre depois do antes.

O pensamento sincronístico, o modo clássico de pensar na China, é um pensamento em campos, por assim dizer. Na filosofia chinesa, esse pensamento foi desenvolvido e diferenciado muito mais do que em qualquer outra civilização; assim, a questão não consiste em saber por que tal coisa ocorre ou que fator causou tal efeito, mas o que é provável que aconteça conjuntamente, de modo significativo, no mesmo momento. Os chineses perguntam sempre: "O que tende a acontecer conjuntamente no tempo?". Assim, para os chineses, o centro do conceito de campo seria um instante de tempo em que estão aglomerados os eventos A, B, C, D, e assim por diante (figura 1). Richard Wilhelm exprime muito bem isso em sua Introdução ao *I Ching*, quando fala do complexo de eventos que ocorrem em um certo momento de tempo.

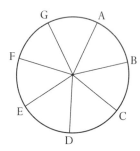

Figura 1. Campo de tempo (conjunto de eventos vinculados no tempo).

Em nosso pensamento causal, efetuamos uma grande separação entre eventos psíquicos e eventos físicos, e nos limitamos apenas a observar como os eventos físicos se produzem uns aos outros, ou têm um efeito causal recíproco bem como sobre os eventos psicológicos. Até o século XIX, ainda persistia nas ciências (e ainda persiste nas menos desenvolvidas) a ideia de que somente causas físicas têm efeitos físicos, e somente causas psicológicas têm efeitos psicológicos; por exemplo, o modo de pensar de Freud: "Esta mulher é neurótica e tem uma idiossincrasia como resultado de um trauma infantil". Esse seria a mesma espécie de pensamento, só que transposto para o nível psicológico.

A pergunta que hoje está sendo feita é se existem interações entre essas duas linhas. Haverá algo como uma causa psíquica para eventos psíquicos e vice-versa? Esse é um problema para a medicina psicossomática. As interações entre essas duas cadeias de causalidade podem ser provadas: podemos ler uma carta em que está dito que alguém a quem muito amamos morreu e, daí, resultarem efeitos fisiológicos; podemos até desmaiar, uma reação que não é causada pela tinta e pelo papel, mas pelo conteúdo psíquico da comunicação. Há uma interação causal entre essas duas linhas, que só agora começa a ser investigada.

Porém, o modo sincronístico, isto é, o modo chinês de pensar, é completamente diferente. Trata-se de uma diferenciação do pensamento primitivo em que nenhuma distinção jamais foi feita entre fatos psicológicos e físicos. Em sua indagação sobre o que é provável que ocorra junto, podem ser reunidos fatos internos e externos. Para o modo sincronístico de pensar, é até essencial observar ambas as áreas da realidade, a física e a psíquica, e assinalar que no momento em que tivemos tais e tais pensamentos ou tais e tais sonhos – que seriam os eventos psicológicos – aconteceram tais e tais eventos físicos exteriores; ou seja, havia um complexo de eventos físicos e psicológicos. Embora o pensamento causal também postule o problema do tempo sob alguma forma, por causa do antes e do depois, o problema do tempo, contudo, é muito mais central no modo sincronístico de pensar, porque existe o momento crítico – certo momento no tempo – que constitui o fato unificador, o ponto focal para a observação desse complexo de eventos.

Na moderna ciência ocidental, usam-se médias algébricas para descrever as probabilidades da sequência de eventos – matrizes algébricas de formas diferentes e funções e curvas algébricas. Os chineses também empregam a matemática para a descrição de *suas* leis sincronísticas. Usam algo parecido com matrizes matemáticas, mas não as abstrações algébricas; utilizam cada um dos números inteiros naturais (1, 2, 3, 4, 5, 6, 7), pelo que se poderia dizer que a matemática *desse* modo chinês de pensar seriam as diferentes qualificações aduzíveis da série de números inteiros naturais, as leis comuns que poderíamos retirar deles. Usa-se 3, 4 e 5 para apreender um conjunto de eventos, em uma forma matemática.

A base da ciência da matemática ou a ciência matemática do pensamento sincronístico é, portanto, a série de números inteiros naturais; e é o que se descobre em todas as técnicas de adivinhação. A mais simples forma de adivinhação é a binária: acerta-se ou erra-se. Joga-se uma moeda para o ar e obtém-se cara ou coroa, decidindo-se assim se se vai ao Monte Rigi (Suíça) ou não, ou a qualquer outro lugar sobre o qual estamos indecisos. A decisão aleatória, determinada pelo acaso, é a ideia básica de toda a adivinhação, mas em diferentes civilizações há técnicas diferenciadas, sendo possível interpretar por meio delas melhor a situação, em um certo momento do tempo.

O modo ocidental de pensar é uma orientação extrospectiva, ou seja, primeiro observamos os eventos e depois extraímos um modelo matemático. O modo chinês ou oriental consiste em usar um modelo mental intuitivo para ler os eventos, a saber, os números inteiros naturais. Eles se voltam primeiro para o evento de lançar ao ar cara ou coroa, que é um evento psíquico e psicofísico. A pergunta do adivinhador é psíquica, ao passo que o evento é a moeda cair ou de cara ou de coroa, fato a partir do qual os eventos internos e externos subsequentes podem ser interpretados. Logo, trata-se de um modo de ver inteiramente complementar ao nosso.

O que é importante na China, conforme também sublinhou Jung em seu ensaio intitulado "Sincronicidade: Um Princípio de Conexão Acausal", é o fato de os chineses não terem se fixado, como aconteceu com muitas outras civilizações primitivas, no uso de métodos divinatórios somente para predizer o futuro — por exemplo, se um homem deve ou não se casar. Pergunta-se ao sacerdote e ele diz: "Não, não conseguirá" ou "Sim, vai conseguir". Isso é algo praticado no mundo inteiro, não só oficialmente, mas por muitas pessoas no silêncio de suas salas, quando dispõem sobre a mesa as cartas do Tarô etc., ou quando se dedicam a pequenos rituais: "Se hoje brilhar o sol, então farei isto e aquilo". O homem pensa constantemente desse modo e até os cientistas têm essas pequenas superstições, dizendo para si mesmos que, como o sol brilhou no quarto deles ao saltarem da cama, sabem que hoje tal e tal coisa correrá às mil maravilhas. Mesmo que rejeitemos em nossa *Weltanschauung* (Visão de Mundo) consciente tais superstições, o homem primitivo que existe em nós usa esse tipo de prognóstico do futuro com a mão esquerda, por assim dizer, e depois nega-o envergonhado ao seu irmão racionalista, embora fique muito aliviado ao descobrir que o outro faz a mesma coisa!

Nesse estágio, a adivinhação não pode evoluir e tornar-se diferenciada; continua sendo uma espécie de técnica primitiva de suposição ou palpite, tentando conjeturar o futuro por alguns meios técnicos. Como eu disse, isso é praticado por nós e mais abertamente em todas as civilizações primitivas. Na África quem quiser viajar vai a um médico-feiticeiro que joga um punhado de ossos de galinha e, segundo a maneira como caírem, mais na seção vermelha ou mais na branca do círculo que traçou no chão, e segundo a espécie de constelação que formarem, ele dirá se a viagem será ou não bem-sucedida, e se a pessoa deverá ou não prosseguir. Antes de qualquer grande empreendimento, tal como uma caçada, uma longa e perigosa viagem a Joanesburgo, ou seja lá para onde for, sempre se consulta primeiro o oráculo e depois age-se de acordo. Nós fazemos a mesma coisa mais secretamente, mas em ambos os casos – mencionarei algumas exceções mais adiante – isso não está incorporado à *Weltanschauung* e, portanto, continua sendo uma espécie de prática primitiva subdesenvolvida, um jogo ritual, que não somos propensos a integrar em nossa visão consciente da realidade.

Os chineses, como todas as civilizações primitivas, ainda recorriam a essa técnica rudimentar, até ela ser finalmente proibida. Na praça do mercado de todas as cidades chinesas, havia alguns sacerdotes *I Ching* que lançavam moedas ou escolhiam hastes de milefólio, obtendo respostas para as perguntas que lhes eram feitas, mas depois isso foi proibido. Em 1960, Mao Tsé-tung pensou em aliviar ligeiramente a pressão política racionalista sobre as massas e descobriu que havia duas possibilidades: ou fornecer mais arroz, ou permitir o uso do *I Ching*, e todos aqueles aos quais consultou disseram-lhe que o povo estava mais ansioso por voltar a usar o *I Ching* do que por obter mais alimento. O alimento espiritual – o *I Ching* era o alimento espiritual deles – era mais importante para a população, de modo que foi permitido, creio eu, por um ano ou dois, voltando a ser reprimido em seguida. É tipicamente chinês que até uma tigela de arroz – e eles estavam passando fome – fosse menos importante do que terem de novo seu amado *Livro das Mutações* e sua orientação espiritual.

O grande mérito do *I Ching* se deve a dois gênios notáveis: o lendário rei Wen e o duque de Zhou, que desenvolveram o que era originalmente um sistema oracular primitivo e o converteram em uma completa *Weltanschauung* filosófica. Eles trataram filosoficamente o oráculo e suas consequências éticas; meditaram sobre suas consequências e pressuposições psicológicas e, por meio disso, o *I Ching* passou a ser na China a base de uma visão de mundo (*Weltanschauung*) muito profunda e muito ampla. Jung, em seu estudo sobre a sincronicidade, afirma que isso aconteceu somente na China, mas eu tive a oportunidade de descobrir que também acontecia na Nigéria Ocidental. Havia ali certos médicos-feiticeiros que, por sua técnica oracular – geomancia, no caso deles – haviam desenvolvido toda uma filosofia religiosa, naturalmente um pouco mais primitiva do que a chinesa, mas, também, um completo ponto de vista religioso e filosófico acerca do oráculo, que não era usado apenas como prática de prognóstico.

Esses são os dois casos de que tenho conhecimento. Existe provavelmente um terceiro, porém não me foi possível obter o material; até onde pude averiguar, somente um estudo foi escrito sobre ele, mas não pude até agora consegui-lo em parte alguma. A antiga civilização maia que, como está ficando cada vez mais evidente, teve suas raízes na Ásia Central e, portanto, estava ligada à civilização chinesa, também possuía uma técnica oracular do tipo *I Ching*; assim, permito-me conjeturar, com base na qualidade de sua civilização, que também os maias tinham uma concepção e um ponto de vista filosóficos a esse respeito e que não era apenas uma técnica secreta de prognóstico. Schultze-Jena publicou um pequeno ensaio sobre o assunto, mas, embora eu venha há algum tempo tentando encontrá-lo, não consegui descobri-lo em parte alguma da Suíça e, até onde sei, o autor escreve somente sobre as técnicas do oráculo maia e não sobre seus fundamentos filosóficos. Podemos, entretanto, formular algumas conjeturas a tal respeito, porque, na filosofia maia, todos os deuses eram deuses de tempo e número. Todas as figuras principais dos mitos maias têm um número específico, que é expressado, inclusive, em seus respectivos nomes. Uma das maiores divindades maias do período Colonial espanhol, por exemplo, é Hunab Ku – o nome deriva de *Hun*, que significa um – e há ainda o grande herói Vuqub Hun Ah Pu (Sete Caçador); todo grande deus é um número e um momento do tempo no calendário anual. Assim, há a união de uma figura arquetípica com um determinado momento do tempo e um determinado número inteiro natural. Isso propicia o indício de que, provavelmente, o oráculo maia estava filosoficamente vinculado a esse tipo de visão de mundo mas, como já disse, ainda não encontrei qualquer detalhe a respeito.

Fiquemos, pois, de momento, com o modo chinês de pensar. Existe um excelente livro sobre o assunto, de autoria do sociólogo Marcel Granet, *La pensée chinoise*, no qual é dito que os chineses nunca pensaram em quantidades, mas sempre em termos de emblemas qualitativos. Jung os teria chamado de "símbolos" e eu usarei esse termo, a fim de tornar as coisas mais claras para todos nós. Segundo os chineses, os números descrevem relações regulares de eventos e coisas, exatamente como ocorre conosco. Com fórmulas algébricas matemáticas, tentamos descrever relações regulares. Como categoria, a causalidade é a ideia para descobrir tais relações e, também para os chineses, os números expressam as relações regulares de coisas – não em seu modo quantitativo, mas em sua hierarquia qualitativa, mediante a qual eles qualificam a ordenação concreta das coisas. Não poderemos discordar disso, porquanto conosco, mais ou menos, se passa o mesmo, exceto na ênfase que eles atribuem ao nível qualitativo.

Mas na China vão mais longe ainda, já que acreditam que o universo tem provavelmente um ritmo numérico básico. A mesma questão surge agora entre nós, pois na física moderna há quem pense ser possível encontrar o ritmo básico do universo, que explicaria todos os diferentes fenômenos; para nós, no entanto, isso é ainda apenas uma ideia especulativa, alimentada por alguns físicos modernos. Os chineses simplesmente supuseram que existia esse ritmo de toda a realidade, ritmo que era um padrão numérico, e que todas as relações mútuas das coisas, em todas as áreas da vida externa e interna, espelham, portanto, esse mesmo padrão numérico básico, em uma forma concebida como um ritmo.

Até fins do século XIX, a concepção chinesa do mundo era muito mais vigorosa e dinâmica do que a nossa, acreditando que tudo era energia em fluxo. Na realidade, pensamos hoje o mesmo que eles, mas chegamos a essa ideia muito mais tarde e por meio de métodos científicos. O pressuposto primordial chinês, desde sempre, era que, exterior e interiormente, tudo é um fluxo de energia que obedece a certos ritmos numéricos básicos e periódicos. Em todas as áreas de eventos, acabaríamos sempre por chegar, ao final, a essa imagem especular, o ritmo básico – uma matriz – do cosmos. Para os que não são muito afeitos à matemática, uma matriz consiste em qualquer disposição regular de números em várias colunas; pode haver qualquer quantidade de filas e colunas, mas sempre em uma disposição retangular.

Para os chineses, uma das matrizes básicas ou disposições do universo era uma matriz quadrangular – um quadrado mágico denominado *Lo Chu*. Chamam-no quadrado mágico porque, seja como for que se somem os algarismos, o resultado é sempre o número 15, e também é o único quadrado mágico que tem apenas três elementos em cada fila ou coluna. Dessa forma, trata-se de algo realmente ímpar na matemática. Existem muitos quadrados mágicos, com mais fileiras e maiores possibilidades de adição, mas o mais simples de todos é este que tem apenas oito soluções. Eu diria que se trata de uma das matrizes numéricas mais altamente simétricas que se pode encontrar na aritmética. Os chineses descobriram-na intuitivamente e, para eles, representou uma imagem especular ou rítmica básica do universo, visto em seu aspecto de tempo. Retornarei mais adiante a este ponto.

4	9	2
3	5	7
8	1	6

Figura 2. *Lo Chu.*
No jargão moderno, uma matriz.

Os chineses tinham duas ideias ou aspectos do tempo, que são o *tempo atemporal*, ou eternidade, a eternidade imutável, e o *tempo cíclico*, que se sobrepõe ao primeiro. De acordo com as ideias chinesas, vivemos normalmente com a nossa consciência no tempo cíclico; mas existe um tempo eterno – *une durée créatrice*, para usar a expressão de Bergson – subjacente, que por vezes interfere, no outro. O tempo chinês ordinário é cíclico e obedece a esse padrão. Os chineses dispuseram as câmaras mais internas de seu palácio imperial de acordo com esse padrão; todos os seus instrumentos musicais eram também afinados segundo ele, todas as danças e todo o protocolo, assim como o que um mandarim e o que um plebeu tinham de fazer no funeral de seus pais. Em todos os detalhes, esse padrão numérico sempre desempenhou um papel, porque se pensava ser o ritmo básico da realidade; portanto, em diferentes variações musicais, protocolares, arquitetônicas; em toda parte, enfim, esse mesmo padrão era sempre colocado no centro.

A ordem numérica subjacente da eternidade denomina-se *Ho-tu* (figura 3), uma mandala e também uma cruz. Temos de novo o 5 no centro. Contamos 1, 2, 3, 4, passamos depois ao 5 central e, então, contamos 6, 7, 8, 9, voltando em seguida ao 10 – que estaria realmente no centro. Deve-se passar sempre pelo centro e voltar a ele. Na realidade, trata-se do movimento de uma dança musical, porque sempre avança para quatro e recua para o centro – em um movimento de expansão e contração análogo à sístole e diástole. O *Lo Chu* é o mundo do tempo em que vivemos e, subjacente a ele, está sempre o ritmo da eternidade, o *Ho-tu*. Essa ideia está subentendida em toda a aplicação cultural e científica da matemática na China. Vamos compará-la com o nosso ponto de vista.

$$
\begin{array}{ccccc}
 & & 7 & & \\
 & & 2 & & \\
8 & 3 & 5 & 4 & 9 \\
 & & 1 & & \\
 & & 6 & &
\end{array}
$$

Figura 3. *Ho-tu*.

Quero apresentar-lhes em detalhe o que o conhecido matemático Hermann Weyl diz a esse respeito em seu livro *Philosophy of Mathematics and Natural Science*. Sabemos que até por volta de 1930 a grande e apaixonada ocupação da maioria dos matemáticos era a discussão de fundamentos. Como voltou a ser moda hoje em dia, eles esperavam reexaminar os fundamentos de toda a ciência. Mas o famoso matemático alemão, David Hilbert, criou uma nova estrutura para o edifício todo da matemática, por assim dizer, na esperança de que ela não contivesse contradições internas. Haveria alguns axiomas básicos, poucos, a partir dos quais poderiam ser construídos todos os ramos da matemática: a topologia, a geometria, a álgebra etc.; seria um enorme edifício com sólidos alicerces assentados em meia dúzia de axiomas. Isso aconteceu em 1926 e Hilbert teve até coragem suficiente para afirmar: "Penso que, com a minha teoria, a discussão de fundamentos foi eliminada para sempre da matemática".

Então, em 1931, apareceu outro matemático muito famoso, Kurt Goedel, que se debruçou sobre alguns desses axiomas básicos de Hilbert e demonstrou ser possível chegar a totais contradições com eles; partindo dos mesmos axiomas, podia-se provar alguma coisa e também o seu completo oposto. Em outras palavras, Goedel mostrou que os axiomas básicos contêm um fator irracional que não pode ser eliminado. Hoje em dia, em matemática, ninguém deve dizer que isto é obviamente desta ou daquela forma e que, portanto, isso e aquilo também o são, mas dizer: "Suponho que isto é assim e assim e que, portanto, então, seguem-se tais e tais coisas". Os axiomas devem ser apresentados como pressupostos ou devem ser postulados, após o que poderá ser feita uma dedução lógica; porém, não podemos inferir que o que foi pressuposto ou postulado não poderá ser contradito ou questionado como verdade absoluta.

Para formular tais pressupostos, a matemática expressa-se geralmente em termos de: "É óbvio em si mesmo" ou "É razoável pensar" — eis como os matemáticos postulam hoje em dia um axioma e, a partir daí, constroem suas teorias. A seguir, não há contradições, apenas uma conclusão é possível, mas é na expressão "é razoável supor" que está o busílis — cerne da questão ou do problema —, como se costuma dizer. Goedel mostrou-nos isso e a coisa desmoronou toda. Por estranho que pareça, isso não reabriu a discussão dos fundamentos. Daí em diante, como diz Weyl, ninguém tocou nesse problema; eles se sentiam um tanto constrangidos, coçavam a orelha e diziam: "Não vamos discutir fundamentos, não adianta nada; é razoável supor, não podemos ir além disso", e é nesse ponto que a situação está hoje.

Weyl, entretanto, empreendeu um desenvolvimento dessa questão muito interessante. No começo, foi muitíssimo atraído pelo físico Werner Heisenberg. Ele era predominantemente pitagórico e sentiu-se seduzido pelo caráter numinoso e irracional dos números inteiros naturais. Depois, ficou fascinado por David Hilbert e, na metade de sua vida houve um período durante o qual ele se sentiu cada vez mais atraído pela lógica hilbertiana, abandonando os números e tratando-os, erroneamente, penso eu, como quantidades simplesmente postuladas. Diz ele, por exemplo, que os números inteiros naturais são algo como se alguém apanhasse uma vara e traçasse com ela uma fileira de sinais, a que depois deu nomes convencionais; nada mais existe por trás deles; foram simplesmente postulados pela mente humana e nada têm de misterioso; era "razoável e óbvio em si mesmo" que alguém pudesse fazer isso, mais dia menos dia. Mas no final de sua vida ele acrescentou (somente na edição alemã de seu livro sobre a filosofia da matemática e pouco antes de sua morte) esta passagem:

> A bela esperança que tínhamos de libertar o mundo da discussão dos fundamentos foi destruída por Kurt Goedel, em 1931, e a base essencial e o significado real da matemática ainda são um problema em aberto. Talvez se faça matemática como se faz música, e talvez ela seja apenas uma das atividades criativas do homem; e, embora a ideia de um mundo existente completamente transcendente seja o princípio básico de todo o formalismo, cada formalismo matemático tem, em cada etapa, a característica de ser incompleto [o que significa que toda e qualquer teoria matemática é coerente em si mesma, mas incompleta; em suas fronteiras, assentam-se questões que não são óbvias, não são claras e são incompletas], na medida em que sempre existem problemas, mesmo de simples natureza aritmética, que podem ser formulados no quadro de um

formalismo, mas não poderão ser decididos por dedução dentro do próprio formalismo.

Isso que está dito acima, na maneira complicada de um matemático significa, em palavras simples: "Eu me atrevo a dizer que é óbvio, pelo que postulo algo irracional, pois não é óbvio". Ora, uma pessoa poderá fazer um movimento *ouroboros* e dizer: "Porém, com base na minha dedução, posso reprovar o meu princípio". Não pode! Você não pode, a partir do formalismo dedutivo, deduzir depois uma prova, exceto por uma tautologia, o que, naturalmente, não é permitido, nem mesmo em matemática.

Portanto, não é de estranhar que, numa existência fenomenal isolada, um fragmento da natureza nos surpreenda por sua irracionalidade e que não possamos analisá-lo completamente. Como vimos, a física, por conseguinte, projeta tudo o que existe no pano de fundo da possibilidade ou da probabilidade.

Esse trecho é importante, porque resume o que a ciência moderna faz. Em outras palavras, qualquer fragmento da existência fenomenal, digamos, esse par de óculos, contém algo irracional, impossível de ser esgotado na análise física. Por que os eléctrons desses milhões e milhões de átomos em que consistem os meus óculos estão nesse lugar e não em outro, não posso explicar;

portanto, por meio da física, quando nos deparamos com um dado evento na natureza, não há explicação completamente válida.

O evento, singularmente considerado, é sempre irracional, mas na física avança-se, projetando isso contra o pano de fundo de possibilidades, isto é, constrói-se uma matriz. Por exemplo, nesses óculos existem tantos átomos e tantas partículas deles, e assim por diante; e a partir de um grupo, em sua totalidade, pode-se estabelecer uma fórmula com a qual será possível até contar as partículas – não 1, 2, 3, 4, 5, mas projetando no campo das possibilidades. É por isso que tais matrizes são atualmente usadas na engenharia etc., porque assim se pode superar o incontável; elas fornecem um instrumento para enfrentar aquelas coisas que não podem ser contadas uma por uma. Diz Weyl:

> Não nos surpreende que qualquer segmento da natureza que escolhamos [estes óculos, ou seja lá o que for], possui um fator irracional básico que não podemos explicar e nunca seremos capazes disso, que apenas podemos descrever, como na física, projetando-o no pano de fundo das possibilidades.

Mas, depois, continua:

> Mas é deveras espantoso que algo criado pela própria mente humana, ou seja, a série completa dos números inteiros naturais [eu já disse que ele tem essa ideia errônea

de que a mente humana criou 1, 2, 3, 4, 5, fazendo pontos], e que é tão absolutamente simples e transparente para o espírito construtivo, também contenha um aspecto de algo abissal, insondável, que não podemos apreender.

Essa é a confissão de um dos mais notáveis matemáticos modernos – porque um dos mais voltados para a filosofia – Hermann Weyl. Podemos dizer, naturalmente, que não acreditamos no que ele acreditava, ou seja, que os números inteiros naturais representam simplesmente a denominação aplicada a uma série de pontos colocados em certas posições; e, por conseguinte, para nós nada há de surpreendente no fato de os números inteiros naturais serem abissais e fora do alcance da nossa compreensão. Ele acreditava nisso e foi por esse motivo que não pôde entender. É incrível que seja assim, mas é assim; em outras palavras, dado terem os números inteiros naturais algo de irracional (Weyl qualificou-os de abissais), os fundamentos da matemática não são sólidos, uma vez que toda a matemática está essencialmente baseada na admissibilidade dos números inteiros naturais.

Ora, precisamente porque os números são irracionais, abissais e insondáveis – para citar Weyl –, eles constituem um bom instrumento para a apreensão de algo irracional. Se usarmos números para apreender o irracional, estaremos usando meios irracionais para captar algo irracional, sendo essa a base da adivinhação. Foram empregados esses números irracionais, abissais, que ninguém entendeu até hoje, na tentativa de adivinhar a realidade ou a ligação deles com a realidade –, mas do problema da adivinhação também participa o problema do tempo.

A adivinhação está relacionada com a sincronicidade e Jung, em outras tantas palavras, chamou os fenômenos sincronísticos de fenômenos parapsicológicos. Desejo que tenham isso em mente porque, como se sabe, na ciência moderna físicos e psicólogos estão tentando descobrir a união da física com a psicologia na área dos fenômenos parapsicológicos. Eles têm o palpite de que os fenômenos parapsicológicos poderiam nos dar uma pista da união de *physis* e *psyche*. Ora, em adivinhação, e refiro-me, aqui, especificamente à adivinhação numérica, também teríamos, portanto, de lidar com o fenômeno parapsicológico, que, ao mesmo tempo está ligado ao número. Jung chamou o número de a expressão mais primitiva do espírito e, assim, temos agora de explicar o que, do ponto de vista psicológico, entendemos por espírito.

Jung, ao procurar especificar como emprega a palavra espírito, citou primeiro uma porção de termos coloquiais em que espírito é usado como algo no gênero de uma substância não material ou o oposto de matéria.* Em geral, também usamos a palavra espírito para indicar algo que é um princípio cósmico, mas empregamos a mesma palavra quando nos referimos a certas capacidades ou atividades psíquicas psicológicas do homem,

---

* Cf. "The Phenomenology of the Spirit in Fairytales", *Collected Works*, Vol. 9, I, pp. 384 ss.

como o intelecto ou a capacidade de pensar ou de raciocinar. Por exemplo, poderemos dizer: "Ele tem uma concepção espiritual", ou "Essa ideia provém de um espírito distorcido" – ou expressões assim. Usamos ainda a palavra como um fenômeno coletivo, por exemplo, na palavra *Zeitgeist*, hoje em dia geralmente nem sempre traduzida; é um vocábulo alemão para expressar o fato irracional de que cada período de tempo possui certo espírito.

Por exemplo, o Renascimento tinha certo espírito, como foi ilustrado em sua arte, sua tecnologia, na matemática e na concepção religiosa, por toda a parte. Todos esses fenômenos, característicos do século XVI, podem ser resumidos como o espírito do Renascimento. Nesse sentido, a palavra é simplesmente usada como um fenômeno coletivo, a soma de ideias comuns a muitas pessoas. Poder-se-ia também falar do espírito do marxismo ou do nacional-socialismo, quando então significaria as ideias coletivas comuns de todo um grupo. Há, portanto, continua Jung, certa oposição entre o espírito, que tem uma espécie de existência extra-humana, exterior ao homem – o espírito cósmico em oposição à matéria do cosmos – e algo que vivenciamos como uma atividade do ego humano. Se dissermos, a respeito de alguém, que ele tem um espírito distorcido, isso significa que o seu complexo de ego está funcionando intelectualmente de modo errado. Portanto, Jung prossegue: se algo psíquico ou psicológico (isto é, um evento psicológico) acontece no indivíduo e ele tem o sentimento de que isso lhe pertence, então, chama-o de seu espírito, por exemplo – o que, diga-se de passagem, seria inteiramente errado, mas é feito por muita gente. Se eu, de súbito, tivesse a ideia de lhes fornecer um bom exemplo, então eu sentiria que a boa ideia era minha, que o meu espírito a produzira. Se algo psicológico acontece que parece estranho ao indivíduo, então é chamado de espírito, no sentido de algo como um fantasma, e o indivíduo vivencia-o como possessão.

Suponhamos que, subitamente, sinto-me impelida a ficar repetindo: "Os gerânios são azuis", "Os gerânios são azuis", "Os gerânios são azuis". Então, porque isso seria uma maluquice e me pareceria muito estranho, em comparação com o que estou fazendo agora aqui, eu diria: "Meu Deus, que demônio ou fantasma meteu semelhante ideia em minha cabeça? Essa ideia está me possuindo e fazendo-me falar bobagem!". Ora, os primitivos são mais honestos: a tudo o que lhes acode inesperadamente do próprio íntimo chamam espírito; não só o que é ruim e os possui, mas qualquer coisa a cujo respeito diriam: "O meu ego não fez isso, acudiu-me de súbito" – isso é o espírito. No último caso, quando o espírito ainda está fora, quando fico possuída por ter de dizer ou fazer algo que não parece pertencer ao meu ego, trata-se então de um aspecto projetado do meu inconsciente; é uma parte da minha psique inconsciente que é projetada e depois vivenciada como fenômeno parapsicológico.

Isso acontece quando ficamos em um estado em que não somos nós mesmos, ou somos dominados por uma perturbação emocional em que perdemos o autocontrole, mas, depois, despertamos completamente lúcidos, vemos as coisas estúpidas que fizemos durante o estado de possessão e, perplexos, perguntamos o que teria sido que entrou em nós: algo se apoderou de nós, não somos nós mesmos, embora nos comportemos como se pensássemos que éramos – é uma coisa assim como se um espírito maligno ou o demônio nos tivesse penetrado.

Uma pessoa não deve tomar simplesmente essas coisas de um modo coloquialmente divertido, mas ao pé da letra, pois um demônio – ou diríamos com mais neutralidade um complexo autônomo – substitui temporariamente o complexo do ego; parece, no momento, ser o ego, mas não é, porquanto depois a pessoa, quando dissociada disso, não pode entender como chegou a fazer ou pensar tais coisas.

Uma das principais maneiras de usarmos a palavra espírito é quando aludimos ao aspecto estimulante e revigorador do inconsciente. Hoje sabemos que a entrada em contato do complexo do ego com o inconsciente tem um efeito estimulante e que isso de fato constitui a base de todos os nossos esforços terapêuticos. Por vezes, pessoas neuróticas que se fecharam em seu vicioso círculo neurótico, assim que iniciam a análise e têm sonhos, ficam excitadas e interessadas em seus sonhos e, então, a água da vida flui novamente; elas voltaram a ter um interesse e, portanto, sentem-se subitamente mais vivas e mais eficientes. Então, alguém pode dizer: "O que foi que lhe aconteceu? Parece que você ganhou uma vida nova". Mas isso só acontece se a pessoa logrou estabelecer contato com o inconsciente ou, melhor dizendo, com "o dinamismo do inconsciente" e, em especial, com o seu aspecto revigorador e estimulante.

Portanto, Jung define espírito, do ponto de vista psicológico, como *o aspecto dinâmico do inconsciente*. Pode-se conceber o inconsciente como algo semelhante à água parada, um lago passivo. As coisas que esquecemos caem nesse lago; se as recordamos, é porque voltamos a pescá-las, mas o lago permanece imóvel. O inconsciente tem esse aspecto de matriz, de ventre materno, mas também tem um aspecto dinâmico, de movimento, age espontaneamente, por sua livre vontade – por exemplo, compõe sonhos. Poderíamos dizer que a composição de sonhos enquanto dormimos é um aspecto do espírito; algum espírito superior compõe uma série sumamente engenhosa de imagens que, se pudermos decifrá-la, parecem transmitir uma mensagem bastante inteligente. Esta é uma manifestação dinâmica do inconsciente, em que ele faz energicamente algo por sua própria vontade, movimenta-se e cria por sua própria conta, e foi isso o que Jung definiu como espírito. Há naturalmente uma fronteira pouco nítida entre o subjetivo e o objetivo; mas na prática, se uma pessoa sente que ele lhe pertence, então é o seu próprio espírito; e se não sente que ele lhe pertence, então a pessoa chama-o *o* espírito ou *um* espírito. Isso depende do fato de ela sentir-se afim ou não com ele, próxima ou não dele.

Jung resume, dizendo que o espírito contém um princípio psíquico espontâneo de movimento e atividade; em segundo lugar, que tem a qualidade de criar livremente imagens para além da nossa percepção sensorial (em um sonho, a pessoa não tem percepção sensorial – o espírito ou o inconsciente cria imagens a partir do seu interior, enquanto as percepções sensoriais estão adormecidas); e, em terceiro lugar, que há uma manipulação autônoma e soberana dessas imagens.

São essas as três características do que Jung chama de espírito ou dinamismo do inconsciente. Ele está espontaneamente ativo, cria livremente imagens para além das percepções sensoriais e, de um modo autônomo e soberano, manipula essas imagens. Se uma pessoa observa seus próprios sonhos, vê que eles são feitos de impressões do dia anterior. Por exemplo, lê-se alguma coisa num jornal, passa-se por alguma experiência na rua, fala-se com o senhor Fulano, e assim por diante. O sonho capta esses fragmentos e a partir deles realiza uma combinação completamente nova e significativa. Vê-se aí a manipulação soberana das imagens; elas são colocadas em uma outra ordem e manipuladas em uma sequência diferente, com um significado completamente diverso, embora a pessoa ainda reconheça que os vários elementos foram tomados, por exemplo, de lembranças remanescentes do dia anterior. É por isso que muitas pessoas pensam ser essa a explicação toda do sonho: "Oh, li ontem no jornal a notícia de um incêndio, por isso sonhei com um incêndio". Então, temos de começar, como sempre, dizendo: "Sim, mas atente para as conexões em que o incêndio foi reproduzido, muito diferentes do que você leu". Isso seria o espírito, aquela coisa desconhecida no inconsciente que recompõe e manipula as imagens interiores.

Esse fator que produz e manipula as imagens interiores é completamente autônomo no homem primitivo, mas, mediante a diferenciação da consciência, avizinha-se lentamente da consciência e, portanto, em contraste com os primitivos, dizemos que fica, em parte, sob o nosso controle. Por exemplo, dizemos frequentemente que temos uma boa ideia ou inventamos algo novo. Um homem primitivo jamais diria que um arco e uma flecha, por exemplo, são uma invenção sua; ele diria que o modo de como construir um arco e uma flecha lhe foi revelado pelo deus do arco e da flecha, e, em seguida contaria um mito de origem, como a um certo caçador a sua divindade apareceu em sonho ou visão e lhe revelou o método de construir um arco e uma flecha.

Assim, quanto maior é a nossa consciência e quanto mais ela se desenvolve, mais nos apossamos de certos aspectos do espírito do inconsciente, atraindo-os para a nossa esfera subjetiva; e chamamos-lhes, então, de nossa própria atividade psíquica ou de nosso próprio espírito. Mas como sublinha Jung, grande parte do fenômeno original permanece naturalmente autônoma e, por conseguinte, ainda é experimentada como fenômeno parapsicológico. Em outras palavras, não devemos supor que no nosso atual estágio de consciência, quando assimilamos do espírito inconsciente mais do que certo montante e o tornamos nosso – isto é, o convertemos em possessão do complexo do ego, de modo que o complexo do ego pode manipulá-lo – não devemos supor, dizia eu, que obtivemos o seu completo domínio. Nada disso. Há ainda uma área enorme do espírito que se manifesta hoje como se manifestava originalmente, de maneira inteiramente autônoma e, portanto, como fenômeno parapsicológico, tal como ocorre entre os povos primitivos.

Se atentarmos para a história da matemática, poderemos ver, com muita clareza, como o espírito se torna subjetivo. Por exemplo, os números inteiros naturais, como o leitor provavelmente sabe, eram, para os pitagóricos princípios divinos cósmicos que constituíam a estrutura básica do universo. Eram deuses, divindades e, ao mesmo tempo, o princípio estrutural básico de toda a existência. Até mesmo Leopold Kronecker afirmou que os números naturais eram invenção da divindade e tudo o mais era produto da mão do homem.

Hoje em dia, nesta época de suposto esclarecimento racional, quando tudo o que é irracional e a palavra Deus foram, de qualquer modo, eliminados da ciência humana, uma séria tentativa foi feita na matemática formalística para definir o número de maneira que excluísse todos os elementos irracionais, mediante a definição dos números como uma série de sinais (1, 2, 3, 4, 5) e uma criação da mente humana. Agora o espírito está, aparentemente, possuído pelo complexo do ego; o ego dos matemáticos possui números criados por eles! Era nisso que Weyl acreditava e foi por isso que ele afirmou: "Não posso entender que algo completamente simples, criado pela mente humana, subitamente contenha algo abissal e insondável". Ele precisaria apenas indagar se a mente humana tinha de fato criado os números. Ele pensa estar agora manipulando completamente o fenômeno, mas isso não é verdade.

Os primitivos, se têm vinte cavalos, não conseguem contá-los, mas usam vinte pauzinhos e então dizem: um pauzinho, um cavalo, dois pauzinhos, dois cavalos, três pauzinhos, três cavalos etc.; depois, contam os pauzinhos e com eles conseguem contar o número de cavalos. Esse foi um método muito difundido, por meio do qual o homem aprendeu a contar. Nós ainda o usamos com os nossos dedos; se alguém enumera coisas, apontamos para os nossos dedos como uma "quantidade auxiliar". Toda a contagem começou com a quantidade auxiliar. Quando o homem pôde, pela primeira vez, contar alguma coisa e depois teve de contar mais, usou os dedos; ou, em muitas civilizações primitivas, usam pontos ou pauzinhos e, depois, quando há alguma coisa a ser contada, os pauzinhos são dispostos no chão e contados, sendo essa a quantidade auxiliar.

Assim, se fizermos o que Hermann Weyl fez, estaremos simplesmente retornando ao método primitivo, contando a quantidade auxiliar; mas isso é apenas uma ação da mente humana, não os próprios números. Fazer tais pontos ou pauzinhos auxiliares é uma atividade da consciência do ego, por meio da qual podemos contar; é uma construção da mente humana, mas o próprio número *não é*, e aí está o grande erro.

Portanto, temos de voltar atrás e dizer: "Sim, por um lado, os números são entidades que a mente humana pode postular e manipular". Podemos supor certa quantidade de números, uma lei aritmética, uma situação, que podem ser manipulados, completa, livre e arbitrariamente, de acordo com os desejos do nosso ego, *mas* estaremos manipulando somente o derivativo; o fato original que inspirou um indivíduo a fabricar pauzinhos para contar e assim chegar ao número de cavalos, por exemplo, essa ideia de que o indivíduo não se apossou, ainda é autônoma, ainda pertence ao espírito criativo do inconsciente.

Na época de Weyl, portanto, simplesmente descartou-se o estudo de números porque se tropeçava sempre em algo completamente simples e insólito: alguém tinha acabado de colocar em posição quatro pontos e, então, de súbito, esses quatro pontos haviam desenvolvido qualidades que ninguém postulara. Para escapar a essa embaraçosa situação e manter a ilusão de que os números eram algo postulado pela mente consciente, que os podia manipular, Weyl diz: "Os números naturais não são enfatizados em matemática, mas nós os projetamos mediante um procedimento específico no *background* de possibilidades infinitas e depois os tratamos desse modo".

É esse o procedimento da maioria dos matemáticos modernos. Eles simplesmente adotam a teoria dos números inteiros naturais, de 1 a N, e os tratam como um todo; eles afirmam simplesmente que a série de números inteiros naturais é que possui certas qualidades – por exemplo, cada número tem um predecessor, um sucessor, uma posição e uma razão. Isso é conhecido como um conjunto e há, então, a possibilidade de construir outras matemáticas com números complexos e irracionais etc. Daí derivam formas muito superiores, sempre de tipos (pode-se dizer de números), tratados simplesmente como aquilo a que os matemáticos chamam de uma *classe*, ignorando nela o 7, o 15 e o 335.

Lidamos, portanto, com uma ideia algébrica e somente com as qualidades comuns a todos os números inteiros naturais. Com essas qualidades, uma pessoa pode construir uma porção de coisas, mas, como diz Weyl, "mais ou menos ignorar cada número inteiro natural *per se*". Os matemáticos são pessoas muito honestas; eles jamais negam que o número inteiro tem qualidades irracionais e individuais, limitando-se a dizer que não estão interessados. Poincaré, por exemplo, é ainda mais honesto; ele afirmou que todos os números inteiros naturais são indivíduos irracionais, mas que, exatamente por esse motivo, é impossível, na teoria dos números, formular muitas teorias gerais sobre eles; e é por isso que eles não são muito fecundos para a matemática. Não são muito úteis, porque há uma quantidade excessiva de casos únicos e não existem generalidades suficientes a partir das quais se possa formular um teorema. Esse era o ponto de vista de Poincaré; ele não disse que os números inteiros naturais não eram interessantes, mas que não nos agradam muito, porque é impossível construir teoremas em semelhantes bases. Teríamos de prestar atenção ao caso único e é disso que, como matemáticos, não gostamos, porque, por uma questão de temperamento, preferimos formular teorias gerais que são comumente válidas.

Portanto, na história da matemática, pode-se ver com muita clareza o que Jung caracterizou como o desenvolvimento geral da mente humana: que tudo o que chamamos hoje de nosso espírito subjetivo, incluindo as nossas atividades mentais em ciência, foi outrora o espírito objetivo – quer dizer, o movimento inspirador da psique inconsciente – mas, com o desenvolvimento da consciência, nós nos apoderamos de uma parte que agora manipulamos e a que chamamos nossa, comportando-nos como se fosse algo que possuímos completamente. Foi isso o que aconteceu no desenvolvimento global da matemática: de deuses que eram, os números foram dessagrados e convertidos em algo que é arbitrariamente postulado pelo ego de um matemático. Mas os matemáticos são suficientemente honestos para declarar: "Não, essa não é toda a história; por estranho que pareça, há coisas que eu quis aprofundar, mas desisti, porque essas coisas ainda se esquivam e fazem o que não deviam fazer, não se deixam escravizar completamente pela nossa consciência".

Um desenvolvimento paralelo aconteceu na história da física, em que agora é cada vez mais usado o conceito de probabilidade e se procura ignorar ao máximo o caso único. Portanto, Wolfgang Pauli declarou: "Por causa do aspecto indeterminista da lei natural, a observação física adquire o caráter de uma realidade única, irracional, e é impossível predizer um resultado; contra isso, ergue-se o aspecto racional de uma ordem abstrata de possibilidade, postulada com a ajuda do conceito matemático de probabilidade e da função *psi*".

Em outras palavras, a física defronta-se agora com uma grande divisão; notadamente, todos os cálculos prévios baseiam-se no conceito de probabilidade e são realizados em matrizes e outras formas algébricas, mas, com eles, tudo o que pode ser enunciado é uma probabilidade geral. Faz-se, assim, uma observação concreta, que é um evento real e sem paralelo. Ora, essas observações reais e únicas, mesmo que custem 10 milhões de dólares, por exemplo – e é o que custam hoje em dia na área da microfísica – não podem ser infinitamente repetidas, a fim de se obter também certa probabilidade prática. Então, há um imenso hiato, e é por isso que Pauli afirma que o experimento real (digamos, com uma partícula num cíclotron) é uma "história de mais ou menos", irracional, e que, em geral, não se ajusta perfeitamente à probabilidade calculada. É por esse motivo que, hoje em dia, improvisam-se todas essas equações de que a física está repleta; de fato, trapaceia-se um pouco para ligar umas às outras e já não é mais possível efetuar predições acuradas e reais.

Naturalmente, os físicos pensaram a respeito! Como foi que isso aconteceu? Por que não se pode formular uma predição concreta que realmente forneça resultados numéricos e não apenas uma probabilidade estatística? Pauli afirma claramente que isso é uma decorrência das pressuposições, porque o experimento é um evento singular e concreto e os meios de cálculo em matemática baseiam-se no princípio de probabilidade, que exclui o evento único e não lhe é aplicável.

Portanto, temos agora de aprofundar o problema da probabilidade e perguntar: "Como acontece isso?". O modo mais simples de explicar probabilidades, e o modo que vou usar, porque é, evidentemente, o padrão arquetípico, é com cartas. Uma pessoa tem um baralho de 32 cartas e pode apanhar uma carta. A probabilidade de que das 32 cartas ela pegue, digamos, o Ás de Copas, é de 1/32. A pessoa tem exatamente essa chance e não mais do que essa. Se for dito à mesma pessoa que apanhe uma carta dez vezes, a probabilidade de obter o Ás de Copas é muito maior, e se a apanhar mil vezes, então a chance torna-se ainda maior, e assim por diante.

Em outras palavras, a repetição é o segredo da probabilidade: quanto mais a pessoa repetir a situação, maior a precisão com que a probabilidade pode ser formulada, até que, finalmente, e essa é a formulação estatística, chega-se a um valor-limite em que se pode dizer que, quando uma pessoa tem N (ou seja, um número infinito de pedidos de cartas), então pode ser estabelecido um limite com muita exatidão. Em forma popularizada e simplificada, é isso o que está subentendido na probabilidade calculável.

Não sendo formada em matemática ou em física, tive de recorrer geralmente a material bastante popularizado, mas cumpre assinalar que o físico, quando quer explicar a probabilidade, usa sempre o exemplo dos dados ou das cartas. Solicito ao leitor que mantenha isso em mente: se um físico pretende explicar o teorema de Bernoulli, começa por dizer: "Bem, se você tiver tantas cartas", e por aí segue. O mesmo método é sempre usado para explicar a probabilidade a um leigo. Mas por que usar esse exemplo? Porque é divertido! Passando agora aos fatos, isso significa que toda a matemática e seu uso na física moderna baseiam-se no princípio da admissão da incapacidade para fazer predições singulares de eventos singulares, mas almeja estar apta para fazê-lo quando se trata de milhares e bilhões de eventos, quando então as predições adquirem uma grande dose de exatidão.

Ora, como psicóloga travessa e não acreditando nisso, ou melhor, considerando isso uma operação muito unilateral da mente humana, tenho de formular duas perguntas: em primeiro lugar, naturalmente, vê-se que é uma visão muito discutível ou muito unilateral da realidade a que a ciência moderna adquire pela aplicação dessas técnicas e, por conseguinte, estamos justificados para perguntar se não existem outras possibilidades com outros meios. De momento, porém, quero fazer a outra pergunta: "Por que estranho motivo milhões de cientistas de grande inteligência na Europa ocidental, na América e no mundo ocidental acreditam na lei dos grandes números como se ela fosse Deus?". Porque, de fato, se discutirmos esses problemas com cientistas naturais modernos, eles simplesmente acreditam que assim tem de ser — que é esse o modo de averiguarem a realidade e de a descreverem cientificamente e com exatidão. Nessa atitude está implícito ser esse o caminho para se chegar à verdade de fatores internos e externos, e de tudo o mais; ela tem de ser estatisticamente provada e cobrir-se com esse conceito de probabilidade.

Essa é a minha grande crítica a Rhine, da Duke University. Até ele foi bastante ingênuo para acreditar que, se queria "vender" os fenômenos parapsicológicos para o mundo científico, então teria de prová-los estatisticamente ou usando o conceito de probabilidade, e acabou – que tolo! – por perder-se em território inimigo. Ele devia ter permanecido em seu próprio território, mas tentou provar com os mesmos meios que eliminam o caso único algo que só é válido no caso único. É por essa razão que não acredito em toda essa investigação. Não acredito no que eles estão fazendo na Duke University. Eles se deixaram seduzir pelo *Zeitgeist* norte-americano e, porque quiseram provar a outros cientistas que a parapsicologia é uma ciência autêntica, usaram uma ferramenta que é absolutamente inepta e inadequada para esse propósito. Essa é a minha opinião pessoal.

Perguntemos, agora, em primeiro lugar, por que essa mania de acreditar na lei dos grandes números se apossou da mente ocidental? No fim das contas, os que acreditam nisso são, em geral, as pessoas mais desenvolvidas e inteligentes em nossa civilização. Não são tolas. Então, por que acreditam em tal coisa? Se alguém acredita, com uma espécie de convicção sagrada, em algo que, depois de ter sido aprofundado, revela-se um ponto de vista muito tendencioso e parcialmente errôneo, então existirá sempre a suspeita psicológica de que essas pessoas estão sob a influência secreta de um arquétipo. *Isso é o que faz as pessoas acreditarem em coisas que não são verdadeiras.*

Se examinarmos a história da ciência, verificaremos que todos os erros em ciência, ou aquilo a que agora chamamos erros, foram devidos ao fato de que pessoas no passado ficaram fascinadas por uma ideia arquetípica que as impediu de continuar observando os fatos. Esse conceito arquetípico as satisfaz, dá-lhes um sentimento subjetivo de "é assim mesmo" e, portanto, desistem de procurar outras explicações mais completas. Somente quando surge um cientista que diz: "Bem, não estou muito certo disso", e apresenta novos fatos, é que os outros despertam e exclamam: "Como pude acreditar nessa outra história antes, que parece agora estar completamente errada?". De um modo geral, as pessoas dão-se conta de que estavam sob o fascínio, a magia fascinante e emocional de uma ideia arquetípica.

Portanto, temos de averiguar que a ideia arquetípica está subjacente no fascínio que hoje domina a mente dos cientistas modernos. Quem é o deus dos grandes números, considerado do ponto de vista mitológico? Se estudarmos a história da religião e a mitologia comparada, os únicos seres capazes de manipular grandes números eram deuses, ou a divindade. Deus, mesmo no Antigo Testamento, contava os cabelos de nossa cabeça. Nós não podemos fazer isso, mas Ele pode. Além disso, os judeus recusavam-se a serem contados, porque somente a Deus era permitido conhecer o número de Seu povo, e contar a população era sacrilégio – só a divindade podia contar.

A maioria das sociedades primitivas, que ainda vive no estado aborígine do tipo caçador e coletor, por exemplo os aborígines australianos, têm todas um sistema binário. Contam até dois e depois continuam contando aos pares. Não existe uma palavra além de dois; contam um, dois; dois, um, dois; dois, dois, um, um, dois, e assim por diante. Na maioria das civilizações primitivas, podem contar até dois, ou até três ou até quatro. Existem tipos diferentes e, para além de certa quantidade, dizem "muitos", e onde começa "muitos" começa o irracional, a divindade.

Vemos assim como o homem, ao aprender a contar, retirou um pedaço do território do senhor deus que tudo conta, apenas um pedacinho, o um e o dois; isso é tudo o que ele pode manejar, o resto ainda pertence ao deus que tudo conta. Ao contar até três, depois quatro, depois cinco, o homem ganha lentamente terreno, mas chega sempre o momento em que diz "muitos" e, aí, desiste de contar; a partir desse ponto, "o outro" conta, ou seja, o inconsciente (ou o arquétipo, ou a divindade), que pode contar infinitamente e superar qualquer computador.

Esse é o fascínio e prosseguirei a partir daí, na próxima palestra.

2ª PALESTRA

No capítulo anterior procurei fornecer um esboço da base do cálculo de probabilidade e de seu uso na física moderna e em outras áreas da ciência no seu estágio atual. Tentei mostrar que o cálculo de probabilidade e os métodos estatísticos usados na ciência moderna são apenas abstrações fundamentadas na ideia da série infinita dos números inteiros naturais, e que só adquirem exatidão se partirmos do pressuposto de um número infinito de eventos ou exemplos.

O dr. Jung sempre exemplificou isso dizendo que, se tivermos uma pilha de pedras, poderemos dizer com absoluta exatidão estatística que o tamanho médio delas é, digamos, 3 centímetros cúbicos; mas se quisermos apanhar *uma* pedra exatamente desse tamanho, estaremos em apuros para consegui-lo; talvez encontremos uma – ou talvez nenhuma. Em outras palavras, embora seja verdadeira a afirmação de que o tamanho médio das pedras da pilha é de 3 centímetros cúbicos, trata-se de uma abstração em nossa mente. Formulamos essa abstração em nossa mente; ela é acurada na medida em que é verdadeira, mas a realidade da pilha de pedras, na qual cada pedra é diferente, não é essa. A maioria das pessoas, se lhe dissermos que o homem médio, ou o americano médio, é assim e assim, acredita nisso; elas acreditam nisso como se os americanos reais, ou as pedras reais, fossem assim. Cometem esse erro, embora devam também saber que se trata de uma abstração mental, pois a acumulação real de pessoas é uma acumulação de casos únicos.

Está provado que essa abstração é muito útil, sendo essa uma das razões pelas quais as pessoas acreditam nela, mas não é a razão toda, porque, se argumentarmos com cientistas naturais, eles repelem o fato de que as pedras reais são de diversos tamanhos e não querem ouvir falar nisso. Os que são honestos dizem: "Isso não interessa à ciência" – o caso único ou individual não interessa à ciência, porque, até agora, não existem meios matemáticos para chegar até ele. A maioria das pessoas acredita, e é uma convicção emocional, que a verdade estatística é *a* verdade. Portanto, nas discussões elas dão sempre este gênero de resposta: "Foi estatisticamente provado que é assim, e isso é o bastante". E a discussão acaba aí.

Ora, se as pessoas acreditam em algo que é obviamente estúpido – eu não diria realmente estúpido, mas unilateral, já que se trata de uma visão unilateral do mundo –, uma abstração em que as pessoas acreditam como se fosse uma verdade dos Evangelhos, então, como psicóloga, temos sempre de perguntar por quê. O que causa essa emoção, por que não podemos discutir a questão com outras pessoas, por que elas não podem enxergar uma verdade tão óbvia? Por exemplo, como tentei mostrar há pouco com a pilha de pedras, cada uma é naturalmente uma pedra única; então, por que os cientistas ficam emotivos e dizem que a pedra única não existe, ou que existe, mas que isso nada tem a ver com a ciência?

No começo, eu costumava ficar irritada com esses cientistas, mas depois lembrei-me de que sou psicóloga e achei preferível averiguar por que motivo eles estavam emocionalmente tão vinculados à ideia de que o cálculo de probabilidades ou a estatística é a verdade e não existe outra. Se recuarmos até a origem, perceberemos que, por trás dessa crença, está um arquétipo em ação. Se as pessoas não podem discutir os fatos de um modo desprendido e relativamente sincero, é porque estão sendo influenciadas por um arquétipo. Por conseguinte, perguntei a mim mesma qual seria a imagem arquetípica subentendida na ideia de uma série infinita de números inteiros (1, 2, 3,... etc.). Por que era o cálculo de probabilidade operado com essa magnitude, ou esse *quantum*, por assim dizer, como se fosse um todo? Aí descobrimos que a humanidade – e foi nesse ponto que parei na palestra anterior – aprendeu lentamente a contar. Os povos mais primitivos, por exemplo certos aborígines australianos, só conseguem contar até dois em palavras, daí em diante repetem e contam aos pares. Possuem o que se pode chamar um sistema binário. Outros povos primitivos podem contar até três, após o que dizem "muitos"; outros podem contar até cinco e depois dizem "muitos" ou começam repetindo.

Provavelmente, a contagem originou-se primeiro com o uso de auxiliares de cálculo, seixos ou pauzinhos. Quando não conseguiam contar todos os objetos, usavam sempre o seixo, a fim de se estabelecer uma relação um a um. Os seixos são um modo da consciência humana apoderar-se de um número; assim é que alguns conseguem contar até três e outros até quatro, após o que dizem geralmente "muitos", ou encolhem os ombros; depois vem o conceito de grupo, a classe de números inteiros naturais, em que não podemos perceber cada indivíduo. Dessa maneira, todos têm esse conceito de um número infinito de inteiros naturais, geralmente coberto pela palavra "muitos", mas quem manipula os muitos?

Série infinita de inteiros naturais
1, 2, 3... muitos... N (a divindade).
N – o grupo ou classe de inteiros naturais.

Hoje em dia, é possível manipulá-los; podemos manipular muitos como se fossem uma grandeza, algo que podemos usar na matemática. O homem primitivo supõe que só um deus ou uma divindade pode contar infinitamente. Ele tem, por assim dizer, a percepção consciente – a consciência depreciada – desse número N, ao passo que para a humanidade moderna isso seria inumano. O homem possui três ou vinte, ou o mais longe que for capaz de contar, e depois vem o arquétipo de N, que se encontra nas mãos de uma divindade. Existem diferentes deuses que contam desse modo. No Novo Testamento é dito que Deus contou os cabelos de nossas cabeças (Lucas, 12:7); mas também existem divindades negativas, pois outros deuses podem contar, não apenas o Deus supremo do Novo Testamento. Por exemplo, o grupo étnico dos iorubás, na África Ocidental, tem a seguinte prece:

Morte: Conta, conta, conta continuamente, mas não me contes a mim.

Fogo: Conta continuamente, conta continuamente, mas não me contes a mim.

Vazio: Conta continuamente, conta continuamente, mas não me contes a mim.

Riqueza: Conta continuamente, conta continuamente, mas não me contes a mim.

Dia: Conta continuamente, conta continuamente, mas não me contes a mim.

A teia de aranha rodeia o celeiro do milho.

(Não repeti o "conta continuamente" tantas vezes quantas eles costumam fazer.) "A teia de aranha rodeia o celeiro do milho" é um dito muito misterioso. O etnólogo, de cujo estudo cito essa prece, diz que não há uma explicação clara para isso; e existe uma variação da última frase que diz: "A fuligem rodeia o celeiro do milho". Pensa ele que talvez os iorubás espalhassem fuligem em redor do celeiro para impedir roubos e também para terem indícios de quem era o ladrão, se houvesse um furto, de modo que um anel de fuligem seria uma proteção para o cereal. A teia de aranha é provavelmente a mesma coisa, pois se não aparecesse quebrada era sinal de que ninguém tocara no celeiro do milho. Mas, naturalmente, nós pensaríamos também no fato de que a teia de aranha é uma bela e bem-organizada mandala, o que significaria haver uma ordem secreta que protege os bens de um indivíduo.

Para mim, a parte importante dessa prece é a que se dirige à Morte, ao Fogo, ao Vazio, à Riqueza e ao Dia – cinco poderes arquetípicos que conseguem contar. As conotações são óbvias. A Morte conta sempre, e é muitíssimo lamentável que apanhe o nosso número, pois, nesse caso, a Morte se apossa de nós. A Morte subtrai perpetuamente da humanidade e, segundo parece, o faz conscientemente, sabendo que fulano e sicrano têm de deixar a vida. O Fogo consome, propaga-se e queima constantemente; precisa sempre de mais combustível, de modo que ele consome cada vez mais, tal qual a morte. O vazio também é um poder arquetípico; em todos os mitos primitivos e antigos de criação, no começo do mundo, existe ou uma divindade ou o vazio – o Nada, por assim dizer, e ao Nada poder-se-ia chamar uma potencialidade criativa, ele é o "ainda-não-ser" – que é, também, uma imagem do inconsciente e também consegue contar. A Riqueza conta, é óbvio; todos sabemos que as pessoas ricas contam seu dinheiro, ou é assim que os avarentos a veem, o que não está longe da verdade. E o Dia, o princípio da consciência, ou o período de consciência, também consegue contar.

Todos estes elementos – morte, fogo, vazio, riqueza e dia – são imagens do que chamaríamos energia psíquica, como fonte da consciência. O fogo e a riqueza são símbolos óbvios da energia psíquica. Pensamos, então, nas antigas descrições da divindade da morte, como, por exemplo, na religião greco-romana, em que a morte é Júpiter ou Zeus do Inferno, o deus do infinito e o guardião do tesouro. A terra dos mortos é como um tesouro e o deus da morte é como o guardião de um enorme tesouro, a partir do qual reproduz os vivos e devolve os moribundos. Portanto, é também o tesoureiro da energia vital e, por meio de números, contando, gera-a ou recupera-a de novo. O dia, naturalmente, é simbólico, é idêntico ao tempo de percepção consciente das coisas, em contraste com a noite.

Os iorubás temem esse deus do inconsciente e atribuem-lhe a capacidade demoníaca de contar. O desejo deles é *não* serem contados, escapar para a noite da vida, escapar desse olho da divindade que tudo vê e que distribui destinos negativos.

Se tentarmos interpretar esse quadro arquetípico, diremos que a imagem da divindade, ou de um grande deus – elas são imagens do Eu (do *self*) em nossa linguagem – envolve um ritmo numericamente ordenado, como se o Eu fosse um relógio que pulsa ritmicamente: um, dois, três, morte, e um, dois, três – e, então, atinge ou não atinge alguém. Em seu aspecto positivo, produz vida e tempo; em seu aspecto negativo, é o fogo e a morte que tudo consomem. Tem-se a ideia de que a morte é o poder que conta, o poder divino. Na linguagem popular há a expressão: "Ele teve a sua conta". Se alguém morre, não antes do tempo certo, e queremos expressar o sentimento de que a pessoa morreu em harmonia com o seu destino, então dizemos: "Bem, ele já tinha seus dias contados" – como um consolo, significando que não morreu por acidente antes do seu tempo.

Em linguagem religiosa, poder-se-ia dizer que Deus tinha decidido matar essa pessoa agora, e nada, nem mesmo os médicos, poderiam ter evitado, porque o Destino ou Deus decidira que a pessoa tinha de morrer; Deus tirou o número dela e a pessoa chamada teve de partir. Assim, temos aqui uma identidade entre um número individual e um ser humano; os números são, desse modo, indivíduos. Outra expressão comum também traduz o fato de que um número é como um indivíduo, e vice-versa: se não entendemos completamente alguém, dizemos que pegamos o número errado, significando, assim, que não temos a frequência, ou o feixe de radar, ou seja lá o que for, para estabelecer contato com essa personalidade. Também neste caso atribuímos a cada indivíduo uma frequência ou um número e, para entrar em contato com ele, temos de ter o número correto.

Assim, se hoje em dia o homem acredita que pode dominar uma série infinita de números naturais, isso é uma prova de arrogância, uma identificação com o arquétipo do Si-mesmo, ou da divindade. Foi essa a proeza fatal de um homem chamado George Cantor, o descobridor da existência de diferentes conjuntos infinitos, que podemos somar e subtrair etc., e diferentes potências de infinidade, que podem ser contadas simultânea ou separadamente. Alguns conjuntos são mais ou menos potentes, mas o detalhe fatal é que Cantor introduziu, assim, a ilusão de que, contando esse conjunto de elementos e depois tratando-o matematicamente, nós o tínhamos na mão, por assim dizer. Nós cometemos o mesmo equívoco fatal ao pensar que uma verdade estatística é *a* verdade, pois realmente estamos apenas manipulando um conceito abstrato e não a própria realidade; nesse pensamento, insinua-se uma identificação com a divindade. Há um mito navajo que exemplifica o que acontece aí, mas na forma de uma peça, de modo que terei de retornar primeiro a outro ponto. Entretanto, tenham em mente que vou tentar mostrar que isso é uma prova de arrogância. Mas, quero explicar primeiro um outro aspecto.

O cálculo de probabilidades foi inventado por dois grandes homens: o matemático e filósofo francês Blaise Pascal e outro francês que foi, realmente, o maior matemático de todos os tempos, Pierre de Fermat. Um jogador escreveu a Pascal e pediu-lhe um sistema que se aplicasse aos jogos de azar. Esse sistema desempenha atualmente um grande papel, sobretudo na Itália, onde os *sistematici* exercem uma função na loteria estatal. Naturalmente, quando matemáticos talentosos vão a Monte Carlo etc., muitos deles têm sistemas, de modo que esse jogador pediu a Pascal para descobrir um sistema pelo qual ele pudesse ganhar. Pascal ficou matematicamente interessado no assunto e iniciou uma correspondência com Fermat a esse respeito. Não se pode afirmar com precisão quem teve a ideia primeiro, mas na troca de correspondência entre ambos, acabou sendo descoberto o cálculo de probabilidades. Assim, a verdadeira raiz histórica da probabilidade é o jogo de azar. Lembre-se de que eu disse, na primeira palestra, que sempre que físicos ou matemáticos tentam explicar em uma forma popular o cálculo de probabilidades ou os princípios da estatística, recorrem à ideia do jogo de azar. Isso sugere que a raiz arquetípica é o arquétipo do jogador e do jogo. Passemos, agora, à história navajo.

Os navajos tiveram outrora um chefe extraordinário, que possuía todas as pérolas e tesouros da tribo e, para se manter protegido, vivia isolado. Ele tinha uma grande turquesa da qual o deus-Sol era invejoso. Embora o próprio deus-Sol possuísse uma turquesa completa ou perfeita, ele queria também a do chefe navajo. Assim, gerou um filho com a mulher-Rocha e educou esse filho para que se tornasse um perfeito jogador, um jogador que sempre ganhasse. Depois, enviou-o à Terra para desafiar o chefe e ganhar tudo dele, inclusive a grande turquesa. O filho assim fez. O deus-Sol pediu-lhe, então, que lhe entregasse a turquesa, mas seu filho, o jogador navajo, guardou-a para si. O deus-Sol ficou furioso e repetiu o mesmo expediente. Gerou de novo um filho com a mulher-Rocha e também o instruiu, mas a este segundo filho ensinou também a trapacear no jogo, com a ajuda de animais.

Na mitologia dos indígenas norte-americanos e na mitologia maia, isso desempenha um grande papel; os animais interferem e ajudam as pessoas que estão no caminho correto. Por exemplo, existe o famoso "Livro do Conselho", o *Popol Vuh* dos Maias-Quiché, no qual os heróis têm de combater os deuses do inferno, que mataram seus pais, e fazem uma espécie de jogo de basquete que jamais poderiam vencer, porque os deuses do inferno são mais poderosos. No entanto, em certo momento, um coelhinho correu para dentro da cesta como se fosse a bola, as pessoas confundiram o coelho com a bola e todos acreditaram que o jogo havia sido vencido pelos heróis e não pelos deuses do inferno. Eles venceram com a ajuda do coelho batoteiro e então podem decapitar os deuses do inferno e vingar seus pais.

Na história navajo ocorreu a mesma coisa, pois o segundo jogador desafia o primeiro e, com a ajuda de animais – não está especificado de que maneira – ganha dele tudo de volta. Entrega, então, a grande turquesa a seu pai, o deus-Sol, que o recompensa, conferindo-lhe grande poder e a posse de muitas terras.

Se interpretarmos esse mito psicologicamente, o deus-Sol seria um paralelo de Dia, Morte, Fogo e Vazio da prece iorubá; ele é o deus do princípio da consciência no inconsciente. Ou poderíamos também chamar-lhe a luz da natureza, *lumen naturae*, e ele pode, portanto, contar infinitamente e, em *sua* consciência, tem conhecimento de todos os jogos. Cria, então, a consciência humana, o primeiro jogador, e ensina-lhe seus ardis. Mas o primeiro jogador encheu-se de soberba e, depois que aprendeu os ardis do deus-Sol, não quis entregar-lhe o que ele queria, como sacrifício ou recompensa por lhe ter ensinado todos os ardis. É um herói arrogante e, portanto, está condenado, pois o deus-Sol criou então um segundo jogador, que é humano e modesto, e suficientemente honesto para lhe entregar a grande turquesa, sabedor de que só vencera graças ao fato de ter aprendido com ele todos os truques e graças à ajuda dos animais, o que é, nesse caso, o fator decisivo. Diríamos que ele permaneceu fiel ao seu instinto e não se encheu de presunção.

Entregar-se à arrogância significa uma traição aos próprios instintos. O instinto protege – temos uma proteção instintiva contra a arrogância. Todos nós nos tornamos frequentemente presunçosos e sabemos que, quando isso ocorre, sentimo-nos inquietos, nervosos. Mesmo antes de cairmos de uma escada, temos o pressentimento de que hoje cairemos, porque, de algum modo, sentimos uma espécie de mal-estar ou de má consciência, não sabemos bem por que e, depois – bump! – a punição por nossa arrogância chega, de um modo geral, rapidamente; somos atropelados por um carro ou coisas assim.

Portanto, podemos afirmar que as pessoas que hoje em dia não apreciam racionalmente o cálculo de probabilidades e a estatística, como recursos úteis e razoáveis da mente humana, mas acreditam secretamente que podemos dominar a natureza e descobrir *a* verdade a respeito de todas as coisas, foram vítimas da soberba e cederam a uma identificação secreta com o deus-Sol. Por conseguinte, são castigadas pela presunção. O que é pior, a presunção significa sempre esterilização da mente, pois se um indivíduo é presunçoso, ele é estéril e estúpido; e, em grande medida, é essa a situação da ciência natural moderna. Eu não direi que todos os cientistas são assim. Existem muitos e notáveis cientistas com quem esses fatos podem ser discutidos e que têm plena consciência de que, por meio da estatística e do cálculo de probabilidades apenas reconstruímos um modelo abstrato da natureza em nossa mente, modelo esse que não abrange a realidade toda; ou seja, temos apenas um útil conhecimento parcial e há ainda uma quantidade infinita de segredos, assim como um número infinito de outros caminhos possíveis para explorar a realidade.

Por meio de George Cantor, essa presunção, essa arrogância ingressaram no campo da matemática, como se vê pela forma como os matemáticos manipulam atualmente a quantidade de N, o montante infinito. Esse desmembramento entre manipular o infinito possível como se fosse uma unidade, em contraste com o inteiro natural individual, representa uma cisão no pensamento matemático moderno, e a mesma divisão existe entre o experimento científico e o oráculo de adivinhação. Bem, como o leitor está vendo, vou avançando lentamente em meu caminho, rumo ao tema da adivinhação.

Permitam-me que caracterize o que entendo por um oráculo de adivinhação. De momento, refiro-me a todas as ações humanas que lidam com um oráculo numérico. Depois ampliarei a outros, mas por agora ficarei com os oráculos numéricos.

Um número é produzido por algum gesto arbitrário, por exemplo, colocando uma das mãos numa tigela com seixos, apanhando alguns deles e depois contando-os. Ou apanhando certo número de ossos de galinha, fazendo duas seções na areia e depois jogando os ossos ao acaso, após o que se conta quantos caíram na seção vermelha e quantos caíram na seção branca, ou algo como isso. Ou provavelmente a maioria dos leitores está familiarizada com o *I Ching*, para o que se lançam moedas que caem de cara ou coroa e, a partir daí, fazem-se cálculos ou jogam-se hastes de milefólio, para obter informação quanto à situação psicofísica interior e exterior.

Ora, esse foi um primeiro e histórico passo, dado pela humanidade, para produzir o que chamaríamos um sistema pelo qual a realidade seria investigada. Provavelmente, o homem primitivo, antes de ter inventado os oráculos, apoiou-se unicamente em seus sonhos e em seus palpites inconscientes instintivos.

Existe, por exemplo, uma tribo indígena norte-americana, a dos Naskapi, que vive na fronteira, perto dos esquimós do Alasca. Restam apenas uma ou duas centenas de pessoas, pois estão rapidamente morrendo de fome. Elas vivem principalmente de gordura de caribu, uma rena canadense. Essa tribo espelha um estado de coisas especificamente primitivo. De acordo com teorias antropológicas, e devo dizer que concordo com tais teorias a esse respeito, podemos afirmar que eles ainda espelham um estado muito original da humanidade. Pequenos grupos dispersos, usualmente grupos familiares de uns quinze a vinte indivíduos, erram em bandos, os homens caçando e as mulheres coletando frutos etc. Não têm agricultura e civilização nenhuma, sendo ainda completamente do tipo original de caçador-coletor. Uma vez por ano, a tribo se reúne em um determinado lugar para vender peles e adquirir munição do homem branco. Fora disso, jamais se reúnem, de modo que não possuem religião organizada, nem festividades ou sacerdotes, nada. Como a religião é um fenômeno instintivo natural, eles têm evidentemente uma, embora não organizada e, para sua orientação espiritual, confiam em seus sonhos.

A interpretação deles é que no coração de todo o homem habita um Mistap'eo, o "grande homem primordial" que é o mensageiro dos sonhos. Ele envia sonhos e quer que o indivíduo preste atenção a esses sonhos, ponha-os à prova e retire deles suas conclusões. Dizem eles que Mistap'eo também gosta muito que cada um desenhe ou pinte os motivos de seus sonhos, de modo que os entalham em madeira ou fazem pequenas bandejas de casca de árvore com motivos oníricos e, com isso, obtêm sua orientação espiritual. Por vezes, também discutem mutuamente seus sonhos e, se um homem ou uma mulher tem um sonho muito impressionante, convertem-no espontaneamente em uma canção. Essas canções são completamente primitivas. Posso dar um exemplo.

Um homem sonhou certa vez que sua mulher estava dormindo com um estranho. Ora, à semelhança dos esquimós, eles têm o costume de, caso chegue um estranho, oferecerem-lhe suas mulheres para a primeira noite; é o *jus prima e noctis*, em certa variação. Psicologicamente, o estranho é um intruso perigoso, algo que sempre aterroriza o homem primitivo. O que trará ele? Será que se integra à nossa vida? O medo é reforçado pelo fato de que, com frequência, os brancos ou outros visitantes trazem uma nova doença. Não faz muito tempo, esse povo sofreu os efeitos de uma catastrófica onda de gripe; um homem contraiu-a dos brancos e contaminou os outros e, como não têm resistência imunológica contra a gripe, metade da tribo morreu. Isso foi uma coisa que, como se sabe, aconteceu a muitas tribos esquimós. Portanto, a experiência deles é que um estranho constitui uma ameaça fisiológica e psicológica, que eles tentam enfrentar oferecendo suas mulheres. Há o sentimento de que o visitante passa, desse modo, a ser um membro da família e, portanto, não pode causar qualquer dano, mas propiciar somente coisas benévolas.

Assim, um Naskapi sonhou certa vez que sua mulher estava dormindo com um estranho. Ao acordar, pensou sobre isso e disse: "Ah, hoje matarei um caribu!". Frank Speck, o etnólogo que conta a história, lamentavelmente não diz como o homem chegou a essa conclusão. Não insistiu com ele para que lhe desse uma explicação, mas se o leitor for suficientemente primitivo, verá sem dificuldade como o homem raciocinou: algo novo se introduziria em sua vida e sua mulher dormiria com isso; então, devia ser algo positivo e não uma coisa perigosa; logo, alguma coisa positiva e nova iria acontecer nesse dia.

Como ele estava quase morrendo de fome, a única coisa nova e positiva que poderia acontecer seria abater um caribu, o que significaria a sobrevivência nos quinze dias seguintes. Essa gente vive de quinzena em quinzena. A morte é uma presença constante, e vivem de cada urso ou caribu que matam; a situação está difícil e, portanto, "Vou matar um caribu". Ele abateu um caribu e fez uma canção: "Minha mulher está dormindo com um estranho e eu vou matar um caribu". Foi uma canção mágica, imitada por muitos outros da tribo durante longo tempo, a fim de provocarem a situação de abater um caribu, mas que, originalmente, era apenas um evento psicológico, um sonho de um índio Naskapi.

É provável que, originalmente, o homem tenha se orientado assim, antes de ter inventado os oráculos, pois a invenção dos oráculos subentende um novo avanço e é o começo da ciência, dado que postula a questão de como essas probabilidades poderiam ser sistematizadas, de alguma forma. Se eu sonho que minha mulher dorme com um estranho, então há a probabilidade de que eu abata um caribu! Era assim que essa tribo entendia o sonho. Ora, bem, se eles evoluíssem culturalmente, o que não foi o caso – embora devamos admitir que isso ocorreu em algum lugar do mundo, em certa época – então procurariam, por exemplo, esculpir um caribu e cantar a canção, esperando que isso resultasse magicamente na morte de um caribu. É a magia da caça; ainda não está sendo usado um oráculo, mas esses povos sabem que a magia da caça às vezes funciona e outras vezes não.

As pessoas que vivem no nível da visão mágica do mundo nunca acreditam que a magia é como uma lei absoluta; elas dirão que realizam seu ritual de caça, ou magia de caça, ou alguma outra forma de magia, por causa da esperança e probabilidade de que isso dê resultado; mas embora haja uma forte probabilidade de êxito, a coisa pode não resultar, e isso é então explicado com a interferência de alguns poderes maléficos. Se não funciona, explicam dizendo que um feiticeiro perverso usou alguma forma de magia negativa e perturbou o processo, ou atribuem a culpa a si mesmas e dizem que não executaram o ritual mágico com a atitude psicológica certa, e é por isso que, às vezes, ele não funciona. Assim, elas levam em conta o fracasso; trata-se de uma probabilidade e não de uma lei natural absoluta.

Portanto, vamos admitir que eles esculpem um caribu em madeira e fazem com isso algum tipo de magia, entoando uma canção, após o que, por vezes, abatem um caribu e outras vezes não. Para a mente humana inquiridora, ocorre então a etapa seguinte: poderemos descobrir algum meio de saber de antemão se isso funcionará ou não?

É então introduzido o conceito de probabilidade; em certa medida é uma questão de sorte, ou de acaso, o que para o homem primitivo significa a ação de um deus, ou de um feiticeiro, ou dos próprios poderes psíquicos do indivíduo – eles falham por vezes e, portanto, não haverá a possibilidade de conhecer antecipadamente qual será o desfecho? Pode-se, por exemplo (e estou agora dando um salto no tempo), lançar uma moeda e, se esta cair do lado errado, então *eu* estou errada, ou os deuses não estão dispostos a ajudar, e mesmo que eu use minha magia de caça, isso não irá adiantar nada. Isso é um modo de encurtar caminho, evitando que eu tenha de me empenhar na execução de desenhos, esculturas ou danças; sei de antemão que as chances estão contra mim, de modo que posso poupar minha energia e tentar contornar a má sorte de alguma outra maneira. Seria esse o primeiro e tênue alvorecer de uma mente científica. Consiste em calcular probabilidades, em usar algum meio matemático ou outro, para estabelecer probabilidades e, desse modo, poupar energia e colocar um pouco mais sob seu controle a situação enigmática em que o homem vive na natureza. Foi provavelmente essa a origem das inúmeras técnicas oraculares que existem no mundo inteiro.

Chegamos agora à diferença entre um oráculo numérico e outra técnica de adivinhação. Existem inúmeras técnicas de adivinhação que, em meu entender, são técnicas para catalisar o nosso próprio conhecimento inconsciente. Elas não usam o número, mas algum padrão caótico; ainda muito utilizadas entre homens brancos são as folhas de chá e as borras de café, mas pode-se empregar quaisquer outros de tais padrões. Como disse antes, há uma técnica africana de adivinhação em que, depois de se comer uma galinha, seus ossos são lançados por terra e da maneira como eles caem, do padrão caótico que formam, pode-se aduzir o que irá acontecer.

Há uma aldeia no cantão suíço de Uri onde a igreja e o cemitério estão na outra margem de um pequeno rio, de modo que, para um funeral, eles têm de transportar o féretro através de uma ponte para chegar à igreja e ao cemitério; durante o bom tempo, a ponte apresenta gretas na lama seca, e todo o povo da aldeia ainda hoje olha para essas gretas, enquanto acompanha o caixão e, por elas, podem dizer quem será o seguinte, observando o padrão caótico formado pelas gretas no chão.

Certa vez, há muitos anos, consultei um quiromante chamado Spier, um holandês que escreveu um famoso livro científico sobre quiromancia. Ele possuía um imenso equipamento científico e conhecia todas as várias linhas da mão. Não olhava para a nossa mão; espalhava pó de fuligem sobre a palma da mão, que, dessa forma, era impressa numa folha de papel, de um modo idêntico ao usado para colher impressões digitais; e era nessa impressão que ele fazia a leitura da palma. Tratava-se de um veículo fantástico. Não o deixei falar do meu futuro; eu achava que era dona exclusiva do meu futuro e que o homem nada tinha a ver com isso, de modo que deixei que ele falasse apenas do meu passado. Fez um relato sumamente exato; viu até uma intervenção cirúrgica a que eu me submetera dois anos antes — ele não disse "algum acidente", mencionou especificamente uma operação. O homem era simplesmente fantástico. É claro que me interessei, tomei café com ele, apertei-o com perguntas e pedi-lhe finalmente que me dissesse com exatidão como fazia. Acabou confessando que era um médium e que, quando uma pessoa entrava no seu gabinete para consultá-lo, sabia tudo sobre ela; simplesmente sabia-o, mas ignorava *o que* sabia, e toda aquela encenação com as linhas e os sulcos das mãos destinava-se apenas a trazer à tona o conhecimento que ele possuía. Desse modo, ele podia projetar seu conhecimento inconsciente nessas linhas e informar seu cliente; elas eram os catalisadores necessários para torná-lo consciente do que ele já sabia. Na realidade, ele apoiava--se no que Jung chama de conhecimento absoluto do inconsciente, que sabemos existir, como podemos ver pelos sonhos.

O inconsciente *sabe* coisas; conhece o passado e o futuro, sabe coisas a respeito de outras pessoas. De tempos em tempos, todos nós temos sonhos que nos informam sobre algo que acontece a outra pessoa. A maioria dos analistas sabe que sonhos prognósticos e telepáticos ocorrem com muita frequência a praticamente todas as pessoas; Jung chamou esse conhecimento inconsciente de conhecimento absoluto. Um médium é uma pessoa que tem um relacionamento mais estreito – diríamos, um dom – por meio do qual se relaciona com o conhecimento absoluto do inconsciente e que, de um modo geral, tem um nível relativamente baixo de consciência. Isso explica por que os médiuns são, com muita frequência, pessoas de caráter duvidoso e até moralmente excêntricas – nem sempre, claro, mas frequentemente – ou com uma ligeira propensão para a criminalidade, ou dadas à bebida etc. São em geral personalidades que correm grande perigo, por terem esse baixo limiar e estarem tão próximas do conhecimento absoluto do inconsciente.

Quase todas as técnicas não numéricas de adivinhação se baseiam em algum tipo de padrão caótico que, na realidade, é exatamente como um teste de Rorschach. Uma pessoa olha fixamente para um padrão caótico e forma então uma fantasia; a completa desordem do padrão confunde a mente consciente da pessoa. Todos nós poderíamos ser médiuns e termos todo o conhecimento absoluto, se a luz brilhante de nosso ego consciente não a empanasse. É por isso que o médium necessita de um *abaissement du niveau mental* e tem de entrar em transe, um estado semelhante à narcolepsia, a fim de trazer à tona seu conhecimento. Eu mesma já observei isso em estados de extrema fadiga, quando estou realmente correndo o perigo de exaustão física e, de súbito, adquiro conhecimento absoluto; fico então muito mais próxima dele, mas desde que durma bem umas quantas noites seguidas, esse dom maravilhoso logo se dissipa de novo. Por quê? O conhecimento absoluto é como a luz de uma vela e, se a luz elétrica da consciência do ego estiver acesa, não podemos ver a tênue chama da vela. Se olhamos para um padrão caótico, ficamos atordoados, não podemos entendê-lo. Se olhamos por um momento para um cartão do Rorschach, com seu acúmulo de pequenas manchas, borrando o funcionamento da mente consciente, virá de repente à tona uma fantasia inconsciente: "Oh, isso parece um elefante", ou coisa assim.

Portanto, é possível obter informação do inconsciente observando um padrão. Ora, o adivinho ou feiticeiro é geralmente uma personalidade dotada de poderes místico-mediúnicos, e tanto pode usar folhas de chá quanto a borra de café, ou olhar para uma bola de cristal. Diferentes luzes bruxuleiam sob os nossos olhos quando fixamos a vista numa bola de cristal, segundo os ângulos de incidência dos raios luminosos; elas têm um padrão caótico, assim como certa ordem, mas os efeitos de luz são caóticos.

As sociedades primitivas olham, muito frequentemente, para uma tigela com água ou, como as pessoas da aldeia de Uri que mencionei, para as gretas num caminho enlameado, ou qualquer outro padrão aleatório. Isso tolda os pensamentos conscientes de uma pessoa. Ela não consegue entender um padrão caótico; fica perplexa, atordoada, e esse momento de confusão faz vir à superfície a intuição proveniente do inconsciente. É isso o que o quiromante arrancou do mais profundo de si mesmo. A sua confissão, quando o apertei, deixou claro para mim por que tantíssimas técnicas de adivinhação, no mundo inteiro, usam um padrão caótico ou apenas meio ordenado, para obter informações. Isso, em minha opinião, é uma técnica divinatória primitiva que foi redescoberta, por exemplo, no teste de Rorschach.

Existem muitas outras maneiras de fazer isso. Por exemplo, é de grande valor encorajar um analisando a pintar quadros abstratos ou aleatórios. Ele faz primeiro alguns pontos (como no teste de Rorschach) e pensa: "Isso parece um elefante", e acrescenta uma tromba. Geralmente, se perguntamos ao analisando como fez seus quadros, ele pode dizer-nos exatamente como começou, com uma pequena mancha, digamos, que parecia um coelho, de modo que lhe adicionou uma cauda e depois inventou o quadro inteiro; e assim se desenrola uma fantasia inconsciente. Essa é uma das fontes da adivinhação. Outra é como provocar um sonho durante o dia, em estado de vigília. Em vez de esperar até sonhar à noite, uma pessoa pode provocar um sonho em pleno dia, fantasiando em cima de uma pequena mancha ou de um padrão caótico. Provavelmente sonhamos o tempo todo; no entanto por causa do brilho de nossa vida consciente, não nos apercebemos disso.

Essa ideia é corroborada pelo seguinte fato: se atentarmos para os erros que as pessoas cometem na fala, ou no pensamento, poderemos observar que o sonho que elas tiveram na noite anterior, ou terão na noite seguinte, está geralmente relacionado com esses erros. Ou se, talvez, queremos dizer "sr. Miller" e, por pura idiotia, dizemos "sr. Johnson", perguntamos a nós mesmos por que fizemos esse estúpido engano – sabemos que Miller é Miller. Por que, então, dissemos Johnson? Trata-se de um ato falho e geralmente notamos que na noite anterior ou na noite seguinte sonhamos com Johnson. Ele já estava aí. Por vezes, em tais lapsos da fala, mencionamos alguém em quem não pensávamos há trinta anos e, de súbito, lá está ele participando de um sonho. Provavelmente já sonhamos com esse homem durante o dia, mas sem nos apercebermos disso, e ele só abre caminho até a consciência por meio de um acidente, num *lapsus linguae*.

Freud assinalou esse fato e sublinhou que os erros na fala e os motivos oníricos são afins. Devemos ir ainda mais longe e dizer que uns e outros fornecem a mesma informação acerca de algo que está se desenrolando no inconsciente. Por conseguinte, é bastante provável que um processo onírico prossiga durante o dia. Olhar para um padrão caótico é como pôr a mente para dormir por um minuto e obter informação sobre o que se está fantasiando ou sonhando no inconsciente. Mediante o conhecimento absoluto no inconsciente, adquire-se informação acerca da situação interior e exterior.

Ora, por que haveria esse quiromante, Spier, de obter informação acerca do *meu* passado, que é, por assim dizer, propriedade da minha memória? O meu passado é só meu e só eu o conheço. Como pôde ele chegar até lá? Eu notei que, embora ele me dissesse a verdade acerca do meu passado, também me disse muita coisa sobre o meu caráter. Ele assinalou certas coisas e eu pensei: "Oh, meu velho, você é como os outros!". Então decidi checar tudo isso e minha mão foi lida por muitos, fizeram-me uma porção de horóscopos, sempre que possível pessoas que eu conhecia mais ou menos, e verifiquei que todos eram verdadeiros. Quando eu os lia, pude sempre dizer: "Sim, isso é verdade, é um autêntico diagnóstico". Mas se um terceiro os lia, notava que eles eram *extremamente* diferentes, e se os lia com mais compreensão, notava ser típico *dessa* pessoa ver *isso* em mim, e ser típico *daquela outra* pessoa ver em mim alguma outra coisa. Concluí, portanto, que a informação é filtrada pela personalidade do médium, ou do adivinho, ou do construtor de horóscopos, ou do quiromante etc.; eles penetram unicamente na área da constelação psíquica de outrem que seja análoga à deles. Tudo é verdadeiro, mas tudo é somente parcial.

Essa é a minha experiência. Não posso construir sobre ela uma teoria, porque não possuo suficiente material comparativo, mas parece-me certo que assim seja, porque sabemos ser também verdadeiro na vida cotidiana. Só podemos responder àquelas facetas de outra personalidade de que nós próprios possuímos certo montante. É por isso que existem pessoas a quem não podemos analisar. Não temos o número delas, para usar de novo essa expressão. Somente podemos analisar aquelas pessoas cujo número temos. Podemos contatá-las em maior ou menor grau, mas apenas até certo ponto poderemos entender o outro. Quanto mais conscientes estamos, mais pessoas podemos compreender, mas poderemos compreender todas as pessoas, e quanto mais conscientes estivermos das inúmeras possibilidades que temos, mais provável é que sejamos capazes de obter o número de outras pessoas; caso contrário, seremos analistas unilaterais, podendo analisar somente certo tipo de pessoa, ou certo tipo de neurose ou outra doença. Aí somos bons especialistas e poderemos fazer realmente um bom trabalho, mas em outro campo não poderemos.

Por exemplo, eu não consigo analisar pessoas histéricas. Não tive um único caso de histeria em minha prática de mais de vinte anos, mas não importa, pois essas pessoas não me procuram. Não tenho a menor probabilidade de fracassar, porque elas parecem cheirar um rato à distância, não recorrem a mim e, se por acaso eu as encontro socialmente, é como se estivesse diante de uma parede branca, não há empatia. Em muitas outras formas de loucura, tenho empatia total; mas no caso das pessoas histéricas, fracasso redondamente e sei, por minhas conversas com colegas, que o mesmo se passa com eles. Uma pessoa tem empatia somente com certos estados humanos e há outros com os quais não se acerta. Ainda espero desenvolver um dia alguns traços histéricos e entendê-los; é uma das minhas grandes ambições, mas ainda não cheguei lá. Sinto isso como uma deficiência, mas não posso fazer muita coisa a respeito, exceto prosseguir até que ela seja remediada.

Pelo que me foi dado perceber, às técnicas de adivinhação aplica-se a mesma coisa que à minha própria vida. Os adivinhos sempre sacam algo de um número da minha personalidade, mas nunca tive um horóscopo ou uma leitura de mão de que eu pudesse dizer: "Bem, isso me define completamente". Podemos dizer: "Sim, sim, isso é verdadeiro, tem razão, eu sou assim mesmo" mas depois vamos a outra leitura diferente, mas que também é correta. Como pode ser isso? Então, notamos que foi apenas uma fotografia, pois o mesmo se passa com as fotografias. As fotos de pessoas dão sempre a faceta de um momento da personalidade, o que explica por que não se pode olhar por muito tempo para as fotos. Se temos uma foto de uma pessoa querida sobre a escrivaninha, temos de mudá-la de lugar ou tirá--la por algum tempo, pois torna-se morta. Durante certo período, ela fala, mas depois, de súbito, tem-se a sensação de que é apenas um pedaço de papel morto e que deixou de ser aquela pessoa. Teríamos de pendurar 365 fotos diferentes dessa pessoa, uma para cada dia do ano, para obter sempre dela uma impressão fresca, viva, porque uma fotografia é como um palpite divinatório da personalidade, e apenas uma faceta é filtrada.

A mesma coisa aplica-se à adivinhação, não sobre uma pessoa, mas a respeito de uma situação. Em uma tribo primitiva, é muito mais provável que assim seja, porque as sociedades primitivas vivem numa completa ou abrangente *participation mystique*. São como um só corpo. Se um homem está passando fome, todos ficam ansiosos. As sociedades muito primitivas e outros seres humanos que estão correndo grande perigo sempre repartem seu alimento. Tudo é repartido, não porque sejam mais nobres ou mais generosos do que nós, mas porque dizem: "Hoje eu abati o caribu, mas daqui a quinze dias poderá ser outro; então, é melhor repartir o alimento que temos".

Quando adquiri meu terreno em Bollingen, os vizinhos vieram me visitar e disseram: "Somos um bom bairro, porque, compreenda, em uma comunidade tão pequena todos temos de nos ajudar em algum momento, de modo que não podemos nos dar ao luxo de brigar uns com os outros". Isso é verdade; basta ir lá no inverno e ficar encalhado na neve, quando então os vizinhos têm de se mobilizar para livrar o nosso carro do atoleiro. Não podemos nos permitir brigas e estamos sempre prontos a acudir quando um dos vizinhos está em apuros. O grupo consiste em cinco casas ao todo. As pessoas se detestam mutuamente, de um modo muito humano e normal, dentro de uma disposição básica normal. Elas têm seus problemas secretos e suas brigas de heranças, mas nunca permitem que isso transpareça completamente. Não podemos nos permitir isso, porque somos o que chamamos *eine Schicksalsgemeinde*, uma "comunidade do destino" na natureza.

No alpinismo, as cinco pessoas que estão presas à mesma corda não podem se dar ao luxo de brigar. Podem detestar-se ou amar--se tanto quanto quiserem, mas para além da simpatia ou antipatia recíprocas, está uma *Schicksalsgemeinde* vital, uma comunidade do destino; são assim as comunidades primitivas do homem. Elas sempre têm dificuldades e problemas comuns, existem muito poucos problemas individuais; portanto, para o adivinho da tribo que joga os ossos de galinha para descobrir se haverá chuva ou boa caça, isso é tão importante para ele quanto para todas as pessoas que se aglomeram à sua volta e observam o que ele faz. Então, há uma tremenda preocupação coletiva e, ao mesmo tempo, uma tremenda carga de energia psíquica; a tensão é enorme, o que, é claro, torna sumamente provável que o adivinho seja inspirado para obter do inconsciente a informação que se refere aos fatos e não uma resposta para o seu problema pessoal.

Se a adivinhação falha, pode-se geralmente ver que o adivinho apresenta um problema neurótico pessoal, que foi projetado no material. Suponhamos que o meu quiromante tivesse acabado de ter um sério aborrecimento com a namorada; ele poderia então "adivinhar" que eu estava com um problema amoroso e teria dessa vez falhado redondamente. Portanto, quando ocorre uma falha, pode-se geralmente considerá-la uma projeção do problema particular do adivinho, projeção que obscurece o problema da outra pessoa. Em comunidades primitivas, não existem muitos problemas pessoais; um problema pessoal é, de fato, um problema de todos em uma comunidade do destino, de modo que provavelmente o adivinho não projetará com frequência ninharias pessoais, mas funcionará corretamente. Do inconsciente do grupo ele retira a resposta à pergunta do grupo, e esses meios caóticos constituem a técnica.

Há uma forma superior de oráculo em que são usados números, ou um padrão aleatório dotado de certa ordem. Por exemplo, na China, a mais antiga fórmula oracular consistia em fazer fogo sob a carapaça de uma tartaruga e ver depois por onde ela se racharia; naturalmente, ela se racha ao longo de certas linhas e são estas que servirão para a leitura da sorte. O padrão nas costas de uma tartaruga dificilmente pode ser considerado aleatório; ele é relativamente ordenado em quadrados, até certo ponto como uma matriz, mas não de forma acurada, não em linhas exatas – está entre a ordem e a desordem. O mesmo se aplica ao cristal: este possui uma ordem muito definida, mas os efeitos luminosos são caóticos e mudam constantemente – basta girar um pouco a bola de cristal para que se obtenham efeitos luminosos inteiramente diferentes. Quando se olha para um diamante, vê-se a mesma coisa, já que a luz está em diferentes cores iridescentes, de modo que constitui a combinação de um padrão aleatório mais certa ordem.

O homem usou primeiro esses meios nas técnicas de adivinhação; até onde posso discernir, os oráculos mais primitivos são padrões aleatórios – tipo Rorschach, por assim dizer. Depois, começaram a ter um padrão aleatório coordenado com certa ordem, ou produzindo certa ordem – por exemplo, o oráculo de ossos de galinha, em determinadas tribos africanas, mediante o qual se adquire uma inspiração ou se encontra uma resposta para a indagação, seja ela qual for, que a pessoa tem em mente, pelo modo como os ossos caem ao serem jogados ao chão. Ou há outra técnica mais elaborada que consiste em colocar no chão três varinhas, uma vermelha, uma preta e uma branca, e depois jogar os ossos – surgindo, assim, uma teoria. Não havia antes teoria alguma, mas com a ordem apareceu uma: se há mais ossos na faixa entre o vermelho e o preto, isso significa azar, e assim por diante. Introduziu-se, desse modo, nos padrões aleatórios, uma espécie de matriz, que poderíamos chamar de coordenadas cartesianas, ou seja, duas faixas ou coordenadas cartesianas, ou então o uso de um material natural, que é um misto de padrão aleatório e de ordem: estava criada a teoria. Somente quando um padrão ordenado se combina com um padrão aleatório é que a teoria se aplica, dizendo: se isto se apresentar assim, então significa tal e tal coisa; caso se apresente assado, significa tal e tal outra coisa. Antes, simplesmente olhava-se para a água, ou para as rachaduras de um caminho, e tinha-se um palpite; não havia a teoria de que determinada greta significasse algo; a pessoa tinha apenas um palpite diante de uma figura caótica.

Há outras técnicas que são muitíssimo mais antigas do que quaisquer técnicas científicas racionais. Elas chegaram à nossa parte do mundo no século VI a. C. e à Ásia Central muito antes, mas, de qualquer modo, na perspectiva histórica da humanidade como um todo, diríamos que são comparativamente recentes. Ao padrão caótico mais oráculo ordenado, chamaria eu o verdadeiro começo da ciência no plano histórico, já que desse modo se introduziu no padrão caótico certa ordem matemática, ou por linhas, por uma matriz, ou por um sistema de coordenadas ou números.

O número sempre foi usado na forma binária, porquanto a mente primitiva – e nós mesmos, quando nos encontramos em uma situação prática – não pode lidar com sutilezas. Sob as condições árduas da vida primitiva, as perguntas tornam-se simples: Deverei fazer essa viagem ou não? Encontrarei um urso ou não? Sobreviverei ou morrerei? Minha mulher me engana ou não? Meu filho doente sobreviverá ou não? Essas são interrogações vitais, que na mente primitiva assumem a forma de um Sim ou um Não, um mais ou um menos. Nós temos uma lógica biposicional e temos duas posições em nossa mente. Por exemplo, com frequência, os povos primitivos não se entregam às sutilezas da interpretação de sonhos. Eles decidem tão somente se é um sonho bom ou mau e isso constitui uma tendência para o Sim ou o Não. Se têm um bom sonho, levam a vida adiante, se é um sonho ruim, permanecem na cama ou em suas tendas e não se movem por algum tempo. Esse é o tipo mais simples de problema Sim ou Não. Eles decidiam sempre desse modo e não haviam desenvolvido teorias sobre os sonhos. Se pela manhã um senador romano decidia que o que tinha tido à noite era um mau sonho, e não entendia como nós o entenderíamos hoje, ele ficava simplesmente na cama o dia inteiro e não ia ao Senado. Existem muitas dessas histórias.

É muito frequente os meus analisandos entrarem, sentarem-se e declararem: "Eu tive um bom sonho" ou "Tive um mau sonho a noite passada". Na maioria dos casos, não é verdade, em absoluto, pois quando o sonho é analisado, resulta que o que eles haviam chamado de mau sonho é bastante promissor, e o que haviam considerado um bom sonho não era tão bom assim; mas as pessoas ainda têm tudo isso de primitivo. Se o quadro geral e o que obtiveram dele em primeira mão parece bom, então entram no meu gabinete radiantes: "Eu tive um bom sonho!". De modo que ainda somos assim e os problemas básicos, os problemas vitais do homem ainda estão conosco. Não devemos nos iludir: são questões Sim ou Não e, ou foi usada uma matriz a fim de dar ordem à desordem, ou a fim de imprimir alguma orientação à desordem, ou, então, foram usados números. Naturalmente, foram usados primeiro na forma Sim ou Não, como ainda fazemos. Jogamos uma moeda ao ar e obtemos cara ou coroa, ou apanhamos um punhado de seixos e o contamos e, depois, retemos um número ímpar, deixando um seixo de fora, ou deixando um par restante e, então, o par ou ímpar remanescentes são o Sim ou Não, que é o que serve de base para o *I Ching*, um sistema numérico binário que responde Sim ou Não. Esses foram os primórdios da introdução de uma teoria e de um sistema na consciência aleatória, que o homem antes usava inconscientemente.

Se meditarmos sobre isso, essa etapa de passar do padrão aleatório, do padrão Rorschach, como fonte de informação, para o padrão que contém uma ordem geométrica ou numérica, coincide com a possibilidade de formulação de uma teoria geral. Por exemplo, se há mais ossos deste lado, então é um oráculo desfavorável e, quando há mais do outro lado, o oráculo é favorável. Em detalhe, podemos ler aí mais do que isso, mas essa é a separação do Sim e do Não. Ou, se usarmos seixos e o sistema binário, haverá não só uma predição do que está acontecendo ou informação sobre o que se passa no inconsciente, mas uma ordem foi também imposta, favorável ou desfavorável à ação. Em certas sociedades primitivas, isso sempre é espontaneamente associado a bom e mau, tal como falamos, ingenuamente, de bons e maus sonhos.

Os chineses tinham outro modo de encarar isso, não tanto pela separação de bom e mau, no sentido moral, ou de boa sorte e má sorte, mas examinando como isso se ajustava à sua grande ordem mundial de Yang e Yin — os princípios masculino e feminino, o ativo e o passivo, a luz e as trevas etc. – e assumindo a atitude mais sábia, segundo a qual nada é absolutamente bom ou absolutamente mau. Assim, seria mais importante, ao impor uma ordem binária a essas ordens caóticas, não fazê-la boa ou má – Sim ou Não –, mas considerá-la como tal e tal tipo de situação, à qual se ajusta este ou aquele tipo de atitude. Yin e Yang não são bons nem maus. Na China, tanto um como o outro podem ser bons ou maus – essa é outra categoria – mas quando a situação Yin prevalece, a pessoa deve se comportar de maneira Yin; e quando a situação Yang predomina, ela deve conduzir-se de um modo que se ajuste a essa situação.

Assim, a ordem binária imposta às coisas pode ser moral, ou pode ser favorável e desfavorável, ou pode – como na China – pertencer a essa categoria de existência, a esse ritmo de existência, que, em meu modo de pensar, é uma atitude superior, porque não se trata de um julgamento pessoal. Ver tudo egocentricamente é muito primitivo. É bom para mim, é mau para mim? – isso é primitivo e egocêntrico.

Os chineses eram suficientemente desprendidos e filosóficos para dizer que, mesmo se alguma coisa é má para mim, ela poderá ser boa como um todo. Desde o começo, eles tiveram uma concepção mais sábia ou mais objetiva acerca do que chamamos de bom e mau, e viram-no mais como algo no conjunto da existência. Esse é o começo da ciência – contém os elementos essenciais do que hoje denominamos o método experimental, dado que existe uma interrogação na mente daquele que pergunta e um método matemático para abordar o caos da existência e, depois, chegar a uma conclusão. É exatamente isso o que fazemos no mais moderno experimento físico: o experimentador tem uma pergunta em mente, tem um método matemático de abordagem, depois examina o resultado do experimento e julga-o a partir de um modelo matemático. Poderíamos dizer que tais tipos de oráculo estavam não só na origem da ciência teórica, mas também da ciência experimental; teoria e experimento não estavam ainda separados, mas eram uma coisa só.

O passo mais simples foi dado quando a mente humana começou a endereçar ao caos da existência uma pergunta dotada de ordem matemática e depois aguardou o resultado, proporcionando assim ao elemento real de acaso uma possibilidade. O leitor pode agora ver como o desenvolvimento chegou longe. O que outrora era uma coisa única, foi desmembrado e colocado em dois extremos. Imagine-se um experimento físico moderno ou a olho ou com um osso, ou qualquer outro que se prefira pensar, e jogando o *I Ching*. Tudo tem a mesma raiz; tudo foi outrora a mesma coisa, mas uma parte foi desenvolvida muito especificamente e a outra permaneceu em sua forma arcaica. O grande problema é agora o interessante ou excitante fator de probabilidade.

Em experimentos físicos, os eventos aleatórios constituem um flagelo. Se algo sai errado em um experimento, se por acaso ocorre alguma coisa inesperada, por exemplo, se há uma predição matemática de que o resultado deve ser tal e o resultado é completamente diferente, o cientista fica desesperado. Há então duas possibilidades: ou o seu cálculo estava errado e, nesse caso, ele muda suas premissas matemáticas, ou remenda a sua equação, como é provável que seja feito hoje em dia, ou, então, procura descobrir que variável aleatória interveio – talvez o calor fosse excessivo ou o instrumento estivesse com defeito. Pode haver fadiga e outras coisas igualmente lamentáveis e, então, eles se empenham desesperadamente na tentativa de eliminar o evento fortuito, de defini-lo e depois eliminá-lo, de colocá-lo de lado. Naturalmente, nenhum experimento físico ou científico é reconhecido hoje em dia como válido quando realizado uma única vez. *Um* experimento nada significa para um cientista. Certa vez, um engenheiro eletroquímico me disse que um experimento é verdadeiro quando ele o realiza cinquenta vezes, obtém sempre o mesmo resultado, publica-o em uma revista e um japonês em Tóquio repete o experimento e obtém o mesmo resultado; só então ele é considerado completamente válido.

Assim, o inimigo é o acaso; o acaso é que tem de ser eliminado pelo maior número possível de repetições e, se o defeito estiver na estrutura do experimento, ou na temperatura, ou na fadiga do material etc., tem-se de fazer todo o possível para eliminar isso no experimento seguinte, em condições as mais semelhantes possíveis, de modo a obter sempre um resultado análogo. Naturalmente, o acaso é um fator objetivo e existe, mas em ciência fala-se de *acidente* fortuito, algo a ser lamentado.

Podemos agora ver a ligação existente entre o cálculo de probabilidades e a estatística, pois também são instrumentos usados para eliminar o acaso. O sr. Kennedy acaba de me dizer que o jogo para eliminar o acaso prossegue desenfreado nos cálculos e estatísticas das companhias de seguros. O que elas têm realmente de combater é a contingência fortuita, de modo que eliminam primeiro os suicídios, porque estes não se encaixam em seus certificados – eliminam o acaso, a fim de chegar ao motorista típico com a cobertura típica oferecida pelas seguradoras. Sem dúvida, isso não basta; o acaso ainda faz suas jogadas e, segundo a legislação inglesa, mesmo oficialmente, nos tribunais, dá-se o nome de atos de Deus às contingências que não são previstas pelas companhias de seguros. Essa é a expressão oficial que figura em qualquer apólice! O acaso é um ato de Deus.

Certa vez, quando estava realizando uma palestra em Genebra, fui abordada por um físico que me perguntou qual era a base arquetípica do acaso. Fiquei surpresa com a pergunta, pois nessa época eu ainda não estava pensando nisso. Segundo a mentalidade primitiva, não existe acaso. Aquilo que cientificamente chamamos de acaso é um ato de Deus, ou de qualquer deus, naturalmente; em uma religião politeísta, trata-se de um deus ou de um espírito, ou de qualquer poder mágico. Não existe o acaso acidental e destituído de significação; todo acaso é um ato de alguma divindade. Essa é a diferença, mas dá para ver como as coisas se desintegraram. O arquétipo comum, o arquétipo que já mencionamos duas vezes, é o arquétipo do jogo. Se o leitor é um jogador, e espero que seja, então sabe perfeitamente que sempre se está dividido entre duas possibilidades: ou ter um sistema, ou confiar no que eu chamaria de inconsciente e no que outro jogador poderá chamar de sua boa sorte, boa estrela etc.

Recordo-me que, em minha juventude, tive paixão pelo jogo de *bridge*. Não jogávamos a dinheiro, de modo que não interessava ganhar ou perder. No começo, eu jogava porque era interessante, mas quando se joga todos os dias, ou durante horas seguidas todos os domingos, o interesse acaba declinando. Contudo, nunca houve para mim perda de interesse, porque resolvi jogar com o meu inconsciente. Não lhe dava então esse nome, porque na época eu nada sabia de psicologia; mas quando as cartas eram distribuídas, eu fechava os olhos e tentava saber se obteria boas ou más cartas e, depois, ficava satisfeita se tivesse acertado. Mais tarde, descobri que, ao me sentar à mesa de *bridge* num domingo à tarde, eu já *sabia* se iria ter um período de sorte ou de azar. Eu simplesmente sabia quando me sentava à mesa! Eu estava, assim, contatando o que chamamos de conhecimento absoluto do inconsciente, e o divertido do jogo era descobrir se poderia realmente confirmar isso.

A maioria dos jogos consiste em uma combinação de acaso e de cálculo. Podemos usar a inteligência até certo ponto, mas existe sempre o fator acaso. *Mah-jong, bridge* etc., todos se baseiam em tais situações. Sempre que usamos dados ou cartas, existe geralmente essa combinação. Isso é satisfatório porque é uma imagem da própria vida, que constitui algo até certo ponto possível de ser organizado com a inteligência e a razão e, se formos racionais na vida, teremos mais probabilidades de desfrutar uma vida boa do que se agirmos irracionalmente; no entanto, em certa medida, há sempre um imponderável, um ato de Deus. Assim, a maioria dos jogos é, de certa forma, imagens da vida; podemos usar a nossa razão, mas teremos sempre que enfrentar o acaso – esses são os tipos prediletos e mais difundidos de jogos de azar.

O xadrez é diferente, porque se trata definitivamente de uma questão de inteligência. Se o jogador tem uma inteligência matemática superior, tem mais probabilidades de ganhar do que de perder, mas é muito divertido, porque também aí interfere um fator psicológico. Eu sou uma perfeita idiota no xadrez, mas sou menos idiota quando estou furiosa. Joguei xadrez por muito tempo com meu pai. Jogávamos com rapidez, sem pensar muito, não profissionalmente, pois fazíamos duas partidas numa só tarde, de modo que podem imaginar que nos comportávamos como crianças. Cada lance não chegava a demorar um minuto. Eu perdia sempre o primeiro jogo, mesmo que me concentrasse deliberadamente, e ganhava sempre o segundo, sem exceção, porque depois de perder a primeira partida eu me inflamava e ficava irritada e, então tinha a libido e uma enorme concentração, o que me tornava mais brilhante do que antes.

Se estamos num bom dia, toda a libido aflui para ele e, assim, nossos dotes matemáticos funcionam; se estamos num dia ruim e em péssima forma, a concentração torna-se impossível. Ainda que se tenha uma inteligência mediana, ela não funcionará; de modo que, mesmo nesse caso, intervêm um fator aleatório e um fator psicológico – o inconsciente também está na jogada e isso é o que torna a situação tão excitante. Ao interrogar outras pessoas que gostam de jogar, apurei que, consciente ou inconscientemente, para a grande maioria das pessoas esses fatores desempenham um papel, fazem realmente parte da diversão do jogo, esse jogo com a sincronicidade, com o nosso próprio inconsciente, com os nossos próprios fatores de bom ou mau humor; caso contrário, o jogo seria realmente desinteressante. Se jogarmos a dinheiro, tal fato estará, então, simplesmente simbolizado: ou se joga com a nossa libido inconsciente, ou a representamos com o dinheiro, que é um símbolo de energia psíquica. Os verdadeiros jogadores não se importam com o dinheiro, mas querem ganhar. A maioria dos jogadores não joga realmente pelo dinheiro; se o fazem, então o dinheiro é um símbolo dessa energia psíquica, desse poder, com que se empenham no jogo.

Qual é a diferença entre um moderno experimento científico físico e um oráculo divinatório? Em um experimento físico, o acaso é eliminado, é empurrado para a fronteira, o mais longe possível, e sobra um resíduo que não pode ser eliminado. Isso é irritante e uma pessoa qualquer dirá: "Oh, bem, isso foi azar", mas o cientista diz: "Podemos ignorar isso" – e essa é a última palavra condenatória. É uma ninharia que pode ser perfeitamente ignorada. No oráculo, adotamos um enfoque diferente, complementar, ou seja, o acaso é colocado no centro; apanhamos uma moeda, a jogamos ao ar e a própria probabilidade de que caia de coroa para cima é a fonte de informação. Assim, num caso, a fonte de informação é constituída pelo acaso e, no outro, ele é o fator de perturbação que temos de eliminar. Eles são absolutamente o que, em moderna linguagem científica, chamaríamos de mutuamente complementares. Os experimentos eliminam o acaso, o oráculo faz do acaso o centro; o experimento baseia-se na repetição, o oráculo está baseado no ato único. O experimento baseia-se no cálculo de probabilidades e o oráculo utiliza o número único, individual, como fonte de informação.

Teremos agora que apurar como o número pode fornecer informação sobre o que está ocorrendo no inconsciente e será esse o tema da próxima palestra.

3ª PALESTRA

Na palestra precedente comentei a respeito da ligação entre o cálculo de probabilidades, os oráculos e outras técnicas de adivinhação em que não se está limitado a um padrão aleatório no qual projetamos o nosso conhecimento inconsciente, mas procura-se estabelecer uma ordem por meio de uma matriz, por exemplo, com uma carapaça de tartaruga ou certa quantidade de linhas.

Como mencionei antes, embora o cálculo de probabilidades seja apenas uma abstração e não forneça informação definitiva, os cientistas modernos estão firmemente convencidos de que, por meio dele, é possível explorar a verdade a respeito da realidade exterior. Existe, porém, certo número de físicos de orientação mais filosófica que compreendeu que a visão do mundo adquirida mediante o cálculo de probabilidades é um artefato mental.

Eu gostaria de citar um livro de *sir* A. Eddington, *The Philosophy of Physical Science*, que, embora um tanto antigo, ainda é válido no principal, e que, graças a ele, mesmo uma pessoa leiga pode facilmente compreender as inclusões e conclusões práticas dos físicos modernos. Nesse livro, Eddington enfatiza o ponto que o tornou alvo dos ataques do campo comunista da física. Ele adere fortemente à concepção de Bohr e de Heisenberg da física quântica e, portanto, enfatiza que o acaso deve ser um fator objetivo na natureza, com o qual o cientista tem de contar, e que o cálculo de probabilidades, pressupondo o acaso, é, em última instância, se refletirmos sobre isso, uma construção da mente. O que está por detrás disso, afirma ele, poderíamos simplesmente chamar de "vida", ou "consciência", ou "mente".

Suponhamos que o *I Ching* ou um oráculo geomântico possua certa qualidade paralela à probabilidade física, dado que também ele constitui uma tentativa de exploração da probabilidade psicológica. Embora os fatos psicológicos sejam, em parte, fatos aleatórios ou individuais "empíricos", também há certas estruturas ou tendências psicológicas, no sentido de uma probabilidade psicológica que se procura esclarecer por meio do oráculo. Vou falar com mais detalhes posteriormente. A grande diferença, já assinalada por mim, entre o experimento físico e o oráculo é que o experimento adquire precisão pela repetição. Quanto mais vezes um experimento físico é repetido com o mesmo resultado, mais acurado este será. Nenhum cientista natural aceitará jamais um informe publicado em uma revista para o efeito de que tal e tal experimentos foram realizados uma vez e que os resultados foram este e aquele. O cientista rejeitaria semelhante artigo, dizendo que o experimento precisa ser repetido o maior número de vezes possível, para se obter a certeza da exclusão de fatores aleatórios que possam interferir num determinado resultado; se um número infinito de repetições der sempre o mesmo resultado, então este poderá ser considerado correto, ficando comprovada sua validade científica.

O oráculo tem um ponto de vista complementar, na medida em que adota o acaso como sua base, e somente será acurado se houver um único lance, fazendo do resultado aleatório o centro de reflexão. Portanto, poderíamos dizer que o experimento é repetido no tempo com o propósito de se obter informação acerca de um pequeno fragmento de realidade. Não se pode realizar um experimento sem delimitar primeiro uma pequena área da realidade, dentro da qual então se tenta obter a informação mediante o experimento. O oráculo é exatamente o oposto, visto que, no que se refere ao tempo, é único, realizado uma só vez e o seu objetivo não é obter informação acerca de uma fração da realidade, mas, se possível, sobre a totalidade da situação psicológica interior, exterior, presente e futura. Desse modo, é inteiramente complementar ao experimento físico.

O evento único, que nunca se ajusta completamente ao resultado de um experimento físico, hoje em dia é chamado de condição limítrofe, ou na física moderna, os resultados únicos são chamados de condições limítrofes. O astrônomo e matemático inglês Sir Arthur Eddington diz, corretamente, que se pudéssemos descobrir uma lei que governe essas condições, então teríamos descoberto outra lei da natureza. Até agora ela não foi formulada. Em outras palavras, na física existe todo um campo de fatos a que se dá o nome de condições limítrofes, eventos aleatórios objetivos, para os quais ainda não foi descoberta uma lei.

Segundo Eddington, sempre há essas condições e nelas ele incluiu a área da realidade, a que chama de os atos volitivos do homem. Em uma perspectiva materialista, Eddington considera que a volição do homem provém de certa mancha em sua matéria cerebral que, em contraste com outros aspectos da matéria, pode produzir atos volitivos e, assim, violar as leis comuns do mundo material – embora ainda não tenha sido descoberto como isso funciona e por quê. Consideraríamos que ele ainda estaria projetando a psique no cérebro, como é usual na medicina moderna, e suspeitava, portanto, de que uma pequena mácula de matéria cerebral pode realizar atos de volição. Esse, diz ele, é o grande mistério ou a grande questão que o físico não pode resolver e, por conseguinte, como sempre elimina-o do campo de estudo, afirmando que, de qualquer modo, não constituía um problema para a física.

Assim, como se vê, ele o transfere para outra faculdade. No entanto, é justamente *isso* que selecionaríamos como interessante, indagando o que está subentendido em um ato de volição. Aí nos encontramos de chofre em águas profundas, porque existem realmente volições tanto do complexo do ego quanto do complexo inconsciente. Mesmo um complexo inconsciente pode realizar um ato de volição ou decidir ou organizar alguma coisa, tal como o ego pode. De certo modo, há tantos pequenos egos quantos complexos autônomos houver num ser humano; tal como o sol entre os astros, o complexo do ego governa, mas em uma personalidade não analisada há esses pequenos pontos gravitando ao redor, sendo todos capazes de atos volitivos.

Jung tentou definir tais atos de volição em termos gerais, dizendo que eles derivam de energia disponível. Por exemplo, a força de vontade, segundo Jung, é energia que está à livre disposição do complexo do ego. Assim, na realidade, as antigas técnicas oraculares eram tentativas de descobrir as probabilidades ou as relativas regularidades da situação psicológica humana. Quase todas as técnicas oraculares deviam ser usadas como o *I Ching*, isto é, somente em situações muito sérias e não como um jogo de salão, como, por exemplo, quando meia dúzia de pessoas se junta e diz: "Que tal jogarmos o *I Ching* e descobrirmos qualquer coisa?". Só se deve usar o oráculo quando há uma questão candente, ou se a pessoa se encontra num impasse e em estado de tensão emocional, mas não quando as coisas estão correndo bem e não há realmente qualquer problema particular que preocupe.

Sabemos que as grandes tensões interiores ocorrem quando se configura uma constelação arquetípica. Quem tem um sonho arquetípico está geralmente num estado de grande tensão dinâmica, sendo essa a razão pela qual Jung define os arquétipos como os dinamismos nucleares da psique. Cada arquétipo é também como uma massa de energia dinâmica e num esquizofrênico, por exemplo; tal carga pode explodir o complexo do ego, se a tensão for excessiva. Isso mostra empiricamente como a tensão de um arquétipo pode se tornar elevada, sendo até capaz de destruir toda a personalidade consciente. Em uma situação tensa, é extremamente provável que um arquétipo esteja constelado no inconsciente; esse é o momento para usar um oráculo, pois só então ele é suscetível de funcionar e dar uma resposta que faça sentido. Assim, o arquétipo é, de certa maneira, um fator de probabilidade psicológica.

Em outras palavras, se há um arquétipo constelado no inconsciente de um analisando ou de um paciente, é possível prever, em considerável medida, suas reações e problemas, porque – se soubermos como fazê-lo – é possível ler tal padrão e, ao mesmo tempo, reconstituir a situação e os problemas conscientes, e assim por diante. Eu fiz algumas vezes isso, involuntariamente, sem querer exibir-me, pois aconteceu amiúde de alguém, na primeira hora, me contar um sonho arquetípico como introdução para o seu problema e eu dizer-lhe: "Bem, sendo assim, talvez você seja conscientemente isto e aquilo, e na vida, em geral, você entre em choque nestas e naquelas situações e, provavelmente, tenha tal e tal filosofia em mente". Quando me perguntam como eu soube de tudo isso, respondo que não tinha certeza, mas provavelmente era devido à constelação inconsciente. Se o inconsciente está constelado de certo modo, então toda a situação psicológica é provavelmente assim e assim. É possível reconstituir até, em certa medida – não por completo, mas em linhas gerais – a área do problema consciente a partir da constelação inconsciente.

Portanto, o arquétipo pode ser definido como uma estrutura que condiciona certas probabilidades psicológicas, e as técnicas oraculares são, obviamente, tentativas de se chegar a essas estruturas. Em seu ensaio sobre sincronicidade, Jung diz que os eventos sincronísticos – e ele classifica todas as técnicas divinatórias do tipo aleatório de experimentos que se relacionam com a sincronicidade – são atos de criação e, como tal, únicos. Um evento sincronístico é uma história única e imprevisível, porque é sempre um ato criativo no tempo e, por conseguinte, não regular.

Se, por exemplo, um analisando tem um grande sonho arquetípico, está perturbado e num estado tenso, é sumamente provável que eventos sincronísticos aconteçam à sua volta. Suponhamos que ele joga o *I Ching* e lhe sai o hexagrama 34, "O Poder dos Grandes". Trata-se da descrição de um estado de grande tensão, na qual o oráculo diz que o carro se desmantela, e o Comentário é que o carro, com suas quatro rodas, a base da consciência, se quebra em pedaços. Isso significaria que todo o mundo consciente desse paciente entraria – ou poderia entrar – em colapso. Então, terminada a hora, ele sai e sofre um sério acidente de carro. Pode-se então dizer: "Ah, o oráculo até previu isso, falou literalmente do carro desmantelar-se – que milagre!". Porém, se pensarmos nisso de modo mais concreto, não houve na realidade previsão alguma. O analisando poderia ter ido facilmente para sua casa e estar apenas dissociado conscientemente, sem ter tido nenhum acidente de carro. Nunca é possível estar certo, com base num oráculo, sobre o que realmente acontecerá.

Os eventos sincronísticos são, portanto, atos indiscutivelmente únicos de criação, histórias inimitáveis, e são em si mesmos imprevisíveis. Mas então surge a pergunta: "Por que consultar oráculos? Por que as probabilidades, se não se pode predizer?". Ora, há probabilidades psicológicas ou, como Pauli certa vez as descreveu, *Erwartungskataloge*, isto é, catálogos ou listas de expectativas, o que significa que a probabilidade calculável, em física, residiria entre dois limites. Não se pode dizer que o experimento seguinte terá exatamente este ou aquele resultado, mas pode ser afirmado que estará situado dentro de certa área de probabilidade e não fora dela. Portanto, hoje em dia, o cálculo de probabilidades é uma lista de expectativas, ou de resultados esperados.

Poderíamos comparar isso a um oráculo. Suponhamos que uma pessoa obtém certo número no *I Ching*, que é uma lista de expectativas de eventos psicológicos, incluindo a sincronicidade. Se um analisando joga o hexagrama "desmantelamento do carro", o que significa desintegração ou fragmentação, ou o perigo de fragmentação da estrutura mental consciente, isso apenas diz que, se há um evento sincronístico, ele pertencerá qualitativamente a essa área, e não, por exemplo, que o analisando encontrará essa tarde sua futura noiva. Se alguma coisa lhe acontece na forma de um evento sincronístico, será nessa área do colapso de seus movimentos conscientes, mas o que acontecerá exatamente não pode ser previsto. Assim sendo, poderíamos afirmar que um oráculo nunca é acurado. Isso é o que o torna tão irritante e o que os racionalistas sempre usam como argumento contra os oráculos, dado que um oráculo sempre utiliza uma espécie de quadro simbólico geral, que pode ser interpretado, como todos os símbolos, de muitas maneiras e em muitos níveis.

Os pensadores muito meticulosos ficam irritados com as técnicas oraculares, por serem tão indefinidas. Naturalmente, é possível ler qualquer coisa nos oráculos e, porque tudo é tão vago, as pessoas tolas e supersticiosas sempre veem uma conexão e, depois do evento, dizem que estava escrito no oráculo. Poderíamos dizer que tudo é tão vago que praticamente *qualquer* coisa era suscetível de acontecer, mas isso não é verdade, é apenas um argumento emocional resultante de um preconceito. No entanto, é verdade na medida em que uma técnica oracular nunca é inteiramente acurada, nem pode predizer com exatidão. Assim como um físico não pode predizer um evento único de modo completamente acurado, um oráculo tampouco pode predizer precisamente um evento psicológico. Mas pode fornecer uma "lista de expectativas", que possivelmente refletirá a imagem de certa área ou campo qualitativo de eventos, e predizer que algo irá acontecer dentro dessa área. Há certa probabilidade psicológica, devido ao que Jung chama de o inconsciente coletivo.

Como a nossa estrutura psicológica mais básica é formada pelos arquétipos – o que significa geralmente padrões coletivos de comportamento – todos somos propensos a reagir da mesma maneira em certas situações. Para dar um exemplo, suponhamos que uma tribo primitiva está em apuros e não pode se livrar deles pelos meios comuns, ou por sonhos, ou pelo senso comum. Eles não conseguem enfrentar a situação. O que, nesse caso, é bastante provável que esteja constelado no inconsciente é o arquétipo do herói, ou do salvador, visto que, para superar a dificuldade, tornam-se agora necessários um esforço psicológico extraordinariamente heroico e a mobilização de incomuns e sobre-humanas "capacidades da psique". Nesses momentos, uma pessoa poderá sonhar com feitos heroicos ou com partes do mito de um herói, por exemplo, quando geralmente acontece que a imagem do herói é projetada em algum lugar.

Isso aconteceu quando a Alemanha projetou em Hitler a imagem do herói-salvador. Era um período de terrível crise, tanto psicológica quanto econômica, e sob todos os aspectos. Ocorreu após aqueles anos terríveis que precederam a Segunda Guerra Mundial, quando havia tanto desemprego, inflação e uma completa desorientação mental e religiosa. De certo modo, era verdadeiro que a única saída para essa dificuldade era uma tremenda mudança de atitude, e isso mobilizou a ideia de um líder heroico, ou de um salvador, no inconsciente – mas ela foi projetada em um psicopata criminoso e resultou na ruína total. Realmente, em 1923, poemas e material literário foram escritos, e os alemães tiveram sonhos, o que mostra como em tais situações difíceis e incomuns o arquétipo do salvador-herói começa a constelar o inconsciente. Tivesse a projeção recaída sobre uma personalidade conveniente, talentosa e ética, o povo poderia ter sido conduzido de modo a sair dos apuros, mas recaiu num psicopata, com todas as consequências disso. Esse é apenas um exemplo para mostrar que há uma probabilidade psicológica, na camada arquetípica da psique, e a possível previsão do que está para acontecer. Em minha opinião, os oráculos divinatórios constituem tentativas de contatar a carga dinâmica de uma constelação arquetípica e de fornecer um padrão de leitura daquilo que é.

Como sugeri na palestra anterior, o arquétipo do jogo está subentendido, real e historicamente, no cálculo de probabilidades. Um oráculo também pode ser equiparado ao jogo de dados. No *I Ching*, contam-se hastes de milefólio ou lançam-se moedas para tirar cara ou coroa, o que é o mesmo que lançar os dados. Para muitos oráculos, em vez de moedas, lançam-se dados para obter certo número e depois verifica-se o que isso significa. Esse procedimento está relacionado com um lançamento aleatório, de modo que a ideia arquetípica está subentendida tanto no oráculo quanto no moderno experimento. Portanto, teremos de abordar brevemente o problema dos jogos de azar e, em especial, do jogo de dados.

Na palestra precedente, descobrimos que a capacidade de contar tudo, de integrar conscientemente a infinidade total de números inteiros naturais era algo que a divindade possuía originalmente, ou pode-se dizer que todos os símbolos do Eu possuem essa capacidade. Por exemplo, lemos no *Bhagavad Gītā* que o deus Krishna diz de si mesmo: "Eu sou o jogo de dados. Sou o Eu sentado no Coração dos Seres. Sou o Princípio, o Meio e o Fim de todos os Seres. Sou Vishnu, o Sol Radiante entre corpos refulgentes". E no *Shatapatha-Brahmana* do Ayurveda, o deus do fogo, Agni, diz o mesmo a seu próprio respeito. O sacerdote lança os dados com estas palavras: "Consagrado por Svaha, compete com os raios de Surya pelo lugar mais central entre os irmãos! Pois esse campo de jogo é o mesmo que o amplo Agni e esses dados são seus carvões". Assim, Agni, o deus do fogo, é o campo de jogo e os carvões incandescentes são os seus dados.

Jung comenta a respeito desses textos, que ele transcreve, em *The Philosophical Tree*: "Ambos os textos relacionam a luz, o sol e o fogo, assim como o deus, com o jogo de dados. Analogamente, o Atharva-Veda fala do 'brilho' que está no carro, nos dados, na força do touro, no vento" etc.[*] O brilho corresponde à ideia primitiva de *mana* e significa, portanto, algo que possui um valor emocional ou sensível. Nas mentes primitivas, as intensidades emocionais são o que mais importa e, por conseguinte, estão identificadas com toda espécie de fatores – com a chuva, a tempestade, o fogo, o poder do touro e a paixão pelo jogo de dados, porque, como diz Jung: "Em intensidade emocional, jogo e jogador coincidem".

É em virtude da intensidade emocional, apaixonada, que se apossa de um indivíduo no jogo, que ele se converte, por assim

---

[*] *Collected Works*, Vol. 13, par. 341.

dizer, no jogo. Todo jogador autêntico e decente se integra por completo no jogo; sua mente está ocupada com ele; ele simplesmente aguarda e reza para que os dados caiam de certo modo. Aí está o grande prazer do jogo. A pessoa vive quando joga. Está mergulhada nele, está envolvida, sendo esse o motivo pelo que os primitivos, por exemplo, jogam até a própria mulher e os filhos, ou a própria cabeça: Se sair um seis para mim, posso cortar-lhe a cabeça; se o seis sair para você, então você poderá cortar a minha. E faziam isso! Eles são apaixonados o bastante para colocar até a própria cabeça na mesa do jogo. Isso acontece com frequência entre os índios norte-americanos, ou então eles jogam todos os seus bens – mulher, filhos, cavalos, tudo. Voltam do terreiro do jogo somente com a própria vida e, por vezes, chegam a ponto de colocá-la também em jogo. Se há semelhante paixão, sabemos então que um arquétipo está operando, como é ilustrado por esses índios e por grande número de outros exemplos.

Uma famosa frase do filósofo Heráclito diz que Aion (a *durée créatrice*, o Tempo divino, criativo, eterno, que é o significado de Aion em grego) é um menino que joga um jogo de tabuleiro – um menino governa o cosmos. Temos aqui de novo a coincidência da imagem do deus da energia, visto que, como se sabe, Heráclito pensava que a energia do mundo consistia em fogo, e que o controle dessa energia – esse fogo que se converte em matéria, em psique, em todos os fatores, em Deus, em almas e em coisas reais, esse fogo único – está nas mãos de um deus menino e jogador, um deus menino que simplesmente joga com essa energia num jogo de tabuleiro.

Temos aí de novo a conexão entre energia psíquica e jogo. Quando o deus – isto é, o arquétipo do Eu, o espírito do inconsciente – joga, ele cria o destino, porque a sua criação é um fenômeno sincronístico. Por isso o homem tentou, com a matemática, a aritmética e os oráculos numéricos, descobrir o jogo de tabuleiro da divindade. A divindade joga com a realidade e o homem tenta descobrir esse jogo por esses métodos numéricos.

Richard Wilhelm descreve o funcionamento do *I Ching* de um modo típico pela seguinte imagem. As relações e os fatos do *Livro das Mutações* podiam ser comparados à rede de um circuito elétrico, que penetra em todas as coisas. Tem a possibilidade de ser aceso, mas só é aceso se a pessoa que faz uma pergunta estabelecer contato com uma situação definida. Portanto, não se deve jogar o *I Ching*, sem perguntar primeiro: "Que pergunta tenho de fato em mente? O que quero realmente perguntar?". Desse modo, a pessoa estabelece contato com o seu próprio inconsciente e pede-lhe que sugira qual é a dificuldade subentendida na pergunta: "Qual seria a situação se aceitássemos esse novo emprego?", ou seja o que for que se queira indagar. Quando o consulente estabelece contato com a situação específica que tem em mente, a rede e a corrente elétrica são excitadas e a situação se ilumina por um momento.

Isso, evidentemente, é apenas um símile, uma comparação poética, que Wilhelm usa para ilustrar o que acontece quando se consulta o *I Ching*, mas é típico que ele pense nisso como se houvesse uma enorme rede que abrange todas as possibilidades.

Formular uma pergunta é o mesmo que acionar um interruptor elétrico, acendendo certa parte da rede. Isso, naturalmente, pertence à estrutura geral da visão de mundo chinesa.

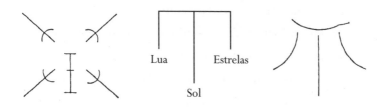

Figura 4. *Suan-chu* – – calcular, adivinhar.

Figura 5. *Chih* – exibir, tornar manifesto, proclamar.

Figura 6. *Chih* (escrita mais recente).

Na China, a palavra para aritmética, para cálculo, tem dois radicais (figura 4). Nos textos antigos, calcular e adivinhar estão tão próximos que não se pode saber qual dos dois termos se quer exprimir. Leem-se, por exemplo, textos em que é dito: "O Mestre Fulano era um grande mestre em *Suan-chu*. Ele era capaz de predizer acuradamente, indicando a hora exata da morte de seus amigos". Ora, podemos dizer: "O Mestre Fulano era um grande adivinho", ou "Ele era um grande matemático", porque um matemático era, na época, um astrônomo, um astrólogo. Todo o conhecimento matemático na China era usado somente para fins de adivinhação, a tal ponto que a palavra *Suan-chu* era usada para ambas as coisas. O outro radical da palavra para cálculo é *Chih*; na figura 5 está escrita à maneira antiga e na figura 6 em escrita mais recente. *Chih*, no significado original, mostra os céus – sol, lua e estrelas, essas três linhas –, sendo a ideia a de que se trata da influência celestial que rege as coisas terrenas.

Os antigos chineses acreditavam que o céu, os astros e as constelações de estrelas influenciavam as situações na terra. Isso era resumido no radical *Chih*, a influência divina pela qual a vontade do céu, ou Tao, na filosofia chinesa, governava as coisas terrenas. Esse radical *Chih* é hoje traduzido geralmente por "exibir, manifestar, tornar conhecido ou proclamar" – tornar manifesta, por assim dizer, a vontade oculta da divindade, do Tao. E era também o radical de cálculo; para a mente chinesa original, a aritmética nada mais era que um meio de adivinhar ou de conjeturar a vontade divina, na tentativa de descobri-la através dos números, e isso continuou na China até bem recentemente.

A descrição feita por Richard Wilhelm do *I Ching*, como uma rede de circuito elétrico onde acendemos certo problema (figura 7) não é fortuita. Wilhelm estava tão impregnado do modo de pensar chinês que, mesmo quando usou um símile espontâneo, teve sempre uma base chinesa. Na primeira palestra, mostrei que os chineses usavam claramente números inteiros naturais na aritmética, mas que tinham combinações numéricas tais como *Lo Chu* ou *Ho-tu*; em outras palavras, desde o começo, eles tinham o que na matemática ocidental moderna se chama uma matriz (figura 2, p. 19). Como o leitor recordará, expliquei na 1ª Palestra o padrão retangular, no qual filas e colunas sempre totalizam um número qualquer dado. Isso seria uma matriz quadrada.

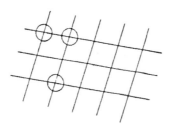

Figura 7. Pontos excitados (arquétipos) no campo.
O *I Ching* como uma rede de circuito elétrico.

Calcular com um grupo inteiro de números dispostos num certo campo só entrou em uso, na matemática ocidental, com a descoberta, pelo matemático francês Evariste Galois, do chamado campo de Galois, a ideia pela qual se altera ou permuta um grupo de, usualmente, quatro números. Hoje, esses campos de Galois são usados em computadores e em muitas outras formas de matemática. A ideia de matrizes ou de tais campos numéricos, como poderíamos chamar-lhes, tem invadido cada vez mais a matemática moderna. Os chineses estavam familiarizados com elas, mas nunca as desenvolveram, se bem que desde o começo usassem, em algumas formas básicas, essas matrizes em seus cálculos. Isso corresponderia à ideia arquetípica de campo. Poderíamos chamar-lhe um arranjo numérico do campo, e o conceito de campo, hoje em dia, invade praticamente todos os ramos da ciência.

Na geometria moderna, por exemplo, o espaço é definido como uma multiformidade em que é possível determinar relações adjacentes. Essa é a definição matemática moderna de campo, e

Lancelot L. Whyte dá uma definição geral da ideia de campo nas ciências naturais ao dizer que se trata de uma rede de relações em toda e qualquer situação; ou seja, em toda e qualquer situação há uma rede atuante de relações. Por exemplo, no nível de partículas elementares, o campo consiste na tendência de assumir certas posições ordenadas, não se movimentar de forma aleatória, mas dispor-se em certa ordem. Esse campo, como Whyte sublinha, é não só um quadro de referência conceitual, mas um fator ativo: um campo eletrodinâmico arranja as partículas e cria ativamente uma ordem. Naturalmente, em termos matemáticos, pode ser mais bem descrito como uma matriz.

Quero agora apresentar uma nova ideia, que Jung não usou, mas que eu penso estar obviamente subentendida, isto é, que introduzimos a ideia ou o conceito de campo para explorar o que Jung chama de inconsciente coletivo, um campo em que o arquétipo seria o único ponto ativado. Wheeler, por exemplo, define a matéria como um campo eletrodinâmico em que as partículas são os pontos excitados. Proponho-me agora a usar a hipótese de que o inconsciente coletivo é um campo de energia psíquica, cujos pontos excitados são os arquétipos, e assim como podemos definir relações adjacentes num campo físico, também podemos definir relações adjacentes no campo do inconsciente coletivo.

Darei um exemplo. Vejamos o arquétipo da árvore do mundo – não, da Grande Mãe, os dois estão frequentemente ligados. Por exemplo, no túmulo do rei egípcio Seti I, existe uma árvore do mundo com um seio em seu tronco, onde se vê o rei mamando.

A árvore representa a mãe cósmica que alimenta o rei. Ou, por exemplo, existem muitas sagas em que as almas de crianças por nascer vivem sob as folhas da árvore do mundo, de onde elas descem para nascer na terra; assim, temos uma vez mais a árvore como uma espécie de ventre materno, em que a terra fecunda as crianças que irão nascer. Também sabemos que a árvore está relacionada com o sol. Por exemplo, há muitos mitos em que o sol nasce todas as manhãs de uma árvore ou em que ele é descrito como uma maçã dourada na árvore da vida. O sol é, por assim dizer, o fruto – ou nasce da árvore do mundo ou é o fruto dela. A árvore também está relacionada com o poço. Na maioria das mitologias, existe um poço sob a árvore do mundo, uma nascente de onde jorra a vida.

A Grande Mãe também está relacionada com o poço. Com muita frequência, o poço é uma espécie de ventre materno da Grande Mãe e possui qualidades femininas. A Grande Mãe está igualmente relacionada com a morte. Por exemplo, no fundo dos caixões egípcios, está pintada Ísis e, no tampo, Nut, de modo que a pessoa morta jaz realmente nos braços da Grande Mãe. Também na inumação, o homem é enterrado em posição embrionária, o que parece relacionar-se com a ideia de que o homem retorna, como uma criança, ao ventre da mãe terra, para daí renascer.

Assim, a Grande Mãe é também a Mãe da Morte. Na mitologia romana, a morte era personificada como uma mulher negra. *Mors*, em latim, é feminino; havia portanto uma morte feminina, uma espécie de figura materna tenebrosa que retirava seus filhos da terra. A árvore também se relacionava com a morte, porque em muitos países existiam sepultamentos em árvores. Muitas tribos esquimós e nórdicas, como os Tungus ou Tchuques, penduram os caixões dos mortos em árvores e assim os devolvem à mãe. Nesse caso, a árvore, não a terra, é a mãe para onde o caixão vai. Também o próprio fato de a maioria dos caixões ser feita de um grande tronco de árvore tornou-se simbólico, pois a árvore também era a mãe que envolve a pessoa morta e lhe propicia o renascimento.

A morte está relacionada também com o poço. Há muitas sagas em que alguém salta para dentro de um poço e, assim, para o mundo dos mortos; é a entrada para o inferno. Por vezes, o manancial de um poço jorra da terra dos mortos.

O tronco de uma árvore simboliza às vezes o falo, de modo que a árvore não só é a Grande Mãe, mas também o seu oposto, o pai. Por exemplo, no nascimento de certas tribos astecas, o primeiro ano é um tronco de árvore quebrado e dizem que dele brotaram todos. Aí o tronco de árvore representa a figura do pai, o falo; talvez o leitor já tenha visto pinturas medievais que ilustram o sonho de Abraão, nas quais ele jaz em seu leito e do pênis ereto cresce uma árvore, sendo todos os ramos da árvore os diferentes ancestrais de Cristo. Abraão sonhou que dele brotariam todas essas gerações e, finalmente, o Salvador. Também nesse caso a árvore é um falo e um emblema de paternidade. O falo também está relacionado com o sol, como sabemos. A Grande Mãe, com frequência, associa-se também a símbolos fálicos. Por exemplo, as bruxas têm uma vassoura ou um enorme nariz, com que raspam o forno etc.

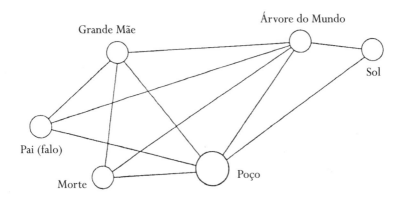

Figura 8. Um campo de arquétipos afins.

Se conhecemos bastante mitologia, podemos formar uma teia completamente coerente de todos os grandes arquétipos. Há sempre uma lenda ou uma saga que liga dois arquétipos em uma nova forma, e é uma tragédia que as pessoas não percebam isso. Os autores que escrevem sobre mitologia escolhem sempre um tema predileto, digamos, o sol e, depois, respigam-no de todos os mitos e dizem que tudo é solar. Depois aparece outro camarada que diz que tudo é lunar, enquanto que Mannhardt afirma que tudo é o deus da vegetação que foi pendurado na árvore. Para Erich Neumann, tudo era a mãe urobórica e assim por diante. Os chineses diriam que, se puxarmos um pé de grama, obteremos sempre o prado inteiro, e foi a isso que Jung chamou de contaminação das imagens arquetípicas.

Todos os arquétipos se contaminam mutuamente. Portanto, aplicar a ideia do campo ao inconsciente coletivo é, penso eu, perfeitamente justificável e então podemos dizer, como afirmei antes, que o inconsciente é um campo em que os pontos excitados são os arquétipos, nos quais é possível definir as relações de vizinhança (figura 8). Como os matemáticos dizem a respeito do espaço, podem ser estabelecidas relações de vizinhança com todos os outros pontos do campo. Eu escolhi esse arquétipo da Grande Mãe de modo inteiramente aleatório, mas vê-se que poderia ter tomado, com a mesma facilidade, o arquétipo do sol e criado um campo em torno dele ou de qualquer outro arquétipo, reordenando tudo; isso é completamente arbitrário.

A grande questão é se o campo do inconsciente coletivo será esse padrão aleatório e arbitrário de arquétipos, um campo em que os pontos excitados são arquétipos, ou se haverá alguma ordem. Jung já sublinhou que entre os diferentes arquétipos há um que engloba e regula todos os outros, e esse é o arquétipo do Si-mesmo (*Self*). Assim, não se deve observar realmente o campo desse modo; deve-se construir – embora eu ainda não tenha sido capaz de fazê-lo adequadamente – um campo matematicamente ordenado e colocar sempre o Si-mesmo no centro. Esse é o arquétipo mais poderoso, aquele que organiza e regula as relações de todos os outros. Digamos que é um centro ordenador ativo, que rege as relações de todos os outros arquétipos e fornece ao campo do inconsciente coletivo uma ordem matemática bem definida. Jung o constrói de outro ângulo muito diferente em seu livro *Aion*, no qual nos mostra que o melhor modelo matemático possível do arquétipo do Si-mesmo são quatro pirâmides duplas em um anel.[*]

Se tomarmos quatro dessas formas, fizermos uma cadeia com elas e as colocarmos em um anel, obteremos o modelo do Si--mesmo que Jung tentou delinear a partir de certo material mitológico. O interessante é que, se estendermos numa linha o ritmo do *Ho-tu* (figura 3, p. 20) e contarmos 1, 2, 3, 4, 5, até o centro, 6, 7, 8, 9, 10 até o centro e assim por diante, voltaremos sempre com a linha ao mesmo centro. Agora, se estendermos a linha do centro para fora, até 0, 5, 10, então, obteremos a pirâmide dupla: 0, 1, 2, 3, 4, 5, – 5, 6, 7, 8, 9, 10 (figura 9). Basta apenas estender o ritmo *Ho-tu* numa linha e teremos o modelo matemático que Jung construiu em *Aion*. O *Ho-tu* chinês espelha realmente o mesmo ritmo descoberto por Jung, em uma ligação muito diferente, como sendo o ritmo próprio do arquétipo do Si-mesmo.

Isso nada tem de surpreendente. Se atentarmos para a aritmética e a matemática da maioria das técnicas de adivinhação, veremos que todas elas contêm esse ritmo em alguma variação. Poderíamos chamar-lhe o ritmo numérico do Si-mesmo, que constitui a base da matemática de todas as técnicas divinatórias. A geomancia, por exemplo, tem o mesmo ritmo numérico do

---

[*] *Collected Works*, Vol. 9, II, pars. 390 ss.

I Ching, só que em ordem inversa. Na geomancia, os processos dinâmicos são representados por quatro e o resultado por uma tríade; na China, os processos dinâmicos são representados por grupos de três e o resultado por um quaternião. Trata-se dos mesmos ritmos numéricos, mas invertidos, o que provavelmente tem a ver com diferentes mentalidades. As tríades apontam sempre para o dinamismo e, portanto, para a ação em uma situação, enquanto que os quaterniões indicam ou descrevem sempre a situação total.

Os chineses não estão interessados no que devem fazer; o interesse deles dirige-se mais para a situação como um todo, de modo que possam então agir com uma percepção consciente dessa situação. O homem ocidental diz que agirá, de qualquer modo, mas qual é a sua situação? Ele não duvida que agirá, porque seu temperamento é extrovertido. Logo, seu interesse está naquilo para onde a situação conduzirá ou onde se ajustará. Os chineses são o inverso; vivem na ideia da totalidade e a ação é o que acontece. Mas uns e outros possuem os mesmos ritmos numéricos, que podem sempre ser relacionados com o ritmo numérico do *Ho-tu* que, na construção de Jung é o ritmo do Si-mesmo.

Assim, podemos prosseguir com a nossa definição e dizer que o inconsciente coletivo é um campo de energia psíquica, cujos pontos excitados são os arquétipos; esse campo tem um aspecto ordenado, dominado pelos ritmos numéricos do Si-mesmo, ritmos que, como se verá, são tríades e quaterniões. Com os oráculos numéricos e as técnicas de adivinhação, procura-se definir o processo do arquétipo do Si-mesmo. No anel das quatro pirâmides duplas, Jung sublinha que o Si-mesmo está em um processo eterno de constante rejuvenescimento. Ele compara-o ao ciclo de carbono-nitrogênio do sol, quando certas partículas são expelidas e outras atraídas, dando finalmente um átomo rejuvenescido da mesma forma. É como se o átomo desprendesse partículas e atraísse outras, restaurando assim a sua própria forma, em constante autorrenovação.

Até onde nos é possível observar o arquétipo do Si-mesmo (*Self*), podemos dizer a mesma coisa, pois tampouco ele é estático, mas está em processo constante de autorrenovação, em um

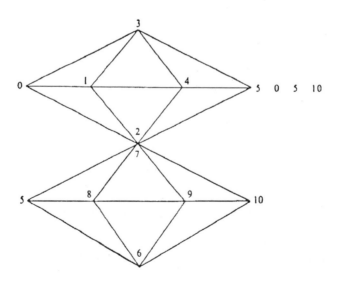

Figura 9.

certo ritmo. Visto que essa é a ordem ou campo dominante do inconsciente coletivo, pode-se dizer que as técnicas de adivinhação constituem tentativas, por um lançamento aleatório de números, de descobrir qual é o ritmo do Si-mesmo em um determinado momento. Por vezes, Jung descreve o que fazemos ao consultar o oráculo *I Ching* dizendo que é como olhar para o relógio da situação do mundo a fim de apurarmos em que momento estamos, enquanto o oráculo daria a situação interior e exterior do mundo, pela qual governamos as nossas ações.

Com isso eu explicaria ainda – porquanto até agora apenas supus – por que razão os inventores das técnicas de adivinhação usaram todos os números inteiros naturais, na tentativa de descobrir as pulsações, os ritmos do Si-mesmo. Portanto, temos de aprofundar mais o problema da energia, ou perguntar como os números se relacionam com a energia, uma vez que os números sempre são usados para definir a situação da energia no inconsciente coletivo. Por que foram eles usados e não algum outro meio? Por que os números inteiros naturais?

A fim de apurarmos tal situação, temos de retornar primeiro à ideia de energia em geral. Como Jung assinala no final da obra *A Natureza da Psique*, o conceito de energia deriva originalmente do conceito primitivo de *energeia* ou *mana*, que significa simplesmente a extrema impressividade de alguma coisa.* Sempre que uma coisa é enormemente ou intensamente impressionante e,

---

* *Collected Works*, Vol. 8, par. 441.

portanto, afeta-nos na esfera psicológica, ou seja, provoca um impacto psicológico, os primitivos diziam que era *mana* ou *mungu*.

Por conseguinte, o conceito original de energia era mais a ideia de intensidade psicológica. Daí derivou lentamente o conceito físico de energia. A palavra "energia", tal como foi usada por Aristóteles, ou, por exemplo, pelo filósofo Heráclito, ainda está repleta de associações mitológicas. Para Heráclito, era ainda o fogo do mundo pulsando de acordo com certos ritmos, um fator psicofísico. Mais tarde, o moderno criador científico do conceito de energia, Robert Mayer, apoiou-se nesse antigo conceito de *mungu* ou *mana*, mas refinou-o de uma forma que pudesse ser usada em ciência; e, hoje em dia, tornou-se um conceito completamente abstrato na física, conceito que só se reveste de valor quando pode ser medido quantitativamente.

O físico Eddington, por exemplo, diz que atualmente, na física, a energia substituiu o conceito de substância; é o que pode ser medido quantitativamente e descrito pelo cálculo de probabilidades ou, pelo menos, definido quantitativamente por meio do cálculo de probabilidades. Todos os outros aspectos do conceito psicofísico original foram eliminados. Esse outro aspecto foi aproveitado por Jung ao criar a ideia de energia psíquica. Podemos considerar os processos psicológicos como sendo processos de energia que obedecem, inclusive, a certas leis. Por exemplo, concebemos um indivíduo como um sistema relativamente fechado, pelo que há conservação de energia. Portanto, se alguém está carente de energia na consciência, pressupomos que essa energia esteja em alguma parte do inconsciente, e vice-versa. Contamos com certa conservação de energia, visto que o montante de energia psíquica à disposição de um indivíduo é mais ou menos o mesmo e, portanto, se desaparece numa forma, reaparece em outra, ideia que provou ser extraordinariamente fecunda.

No entanto, Jung sublinha que a energia psíquica não pode ser medida quantitativamente; ainda só podemos medi-la com as nossas impressões sensíveis. Suponhamos que um analisando entre no consultório e conte uma história numa voz completamente calma, tendo suficiente autodomínio para controlar as emoções. Os orientais podem contar as coisas mais terríveis com um sorriso inteiramente impassível e uma voz inalterada, mas, ainda assim, se formos sensíveis, sentiremos um impacto tremendo, como se alguma coisa nos tivesse atingido em cheio.

As pessoas têm, por vezes, uma projeção terrivelmente negativa, uma aversão, decidem que têm de falar com o analista a esse respeito e aprenderam que isso deve ser feito com decência. Então, começam por dizer: "Dra. von Franz, hoje tenho que lhe falar de uma resistência que sinto. Espero que não fique magoada. Sei que se trata realmente de uma projeção, mas acho que quero lhe falar sobre isso e não ficar sufocando a coisa". Pode ser algo sumamente tocante, razoável e psicológico. Dirão o que têm contra nós e, por vezes, o impacto não é forte, enquanto em outras sinto um choque físico. Se o analisando grita e me insulta, é natural que eu me sinta chocada, mas isso a gente sente mesmo quando a energia é completamente contida. A gente sente que há uma energia de alguma espécie. Só posso usar um símile e dizer que é como se fôssemos atingidos por alguma coisa. O leitor já viu alguma vez alguém olhando-o com aversão? Podemos, por exemplo, estar olhando inocentemente para um grupo de pessoas e dar com alguém de olhos fixos em nós, e nos sentimos como se tivéssemos sido atingidos física e negativamente. A mesma coisa, é claro, também pode ocorrer de forma positiva, mas ficamos mais conscientes disso, quando é negativo. No aspecto positivo, trata-se mais de uma atração.

Ao realizar conferências, noto às vezes que, de modo inconsciente, começo falando para um rosto no público; minha energia flui seguidamente para essa pessoa, estabelecendo-se uma espécie de corrente. Não que haja, em absoluto, uma simpatia especial por essa pessoa, mas essas atrações existem. É evidente que tendemos a nos voltar para uma pessoa que esteja de fato interessada; sentimos como se fôssemos especialmente ouvidos e é natural que nos voltemos nessa direção. Pelo que pude perceber, trata-se mais da intensidade do ouvinte do que de nossa própria simpatia. Isso é apenas para ilustrar a nossa percepção consciente e sensível da intensidade psíquica. Nós a sentimos, mas não temos um aparelho físico para demonstrá-la.

Muitas pessoas replicam a isso com a objeção de que, no experimento de associação, possuímos o galvanômetro, mediante o qual podemos ver e medir de imediato a intensidade psíquica, mas isso não é estritamente verdadeiro se refletirmos a esse respeito, pois num experimento de associação feito com o galvanômetro não medimos a intensidade psíquica, mas apenas a intensidade da reação fisiológica. Estamos ainda dentro do domínio físico, já que medimos um fator físico por meios físicos – ou seja, a reação fisiológica causada pela intensidade psíquica. Podemos, portanto, avaliar de modo inteiramente legítimo a intensidade psíquica a partir da reação fisiológica, mas não estamos realmente medindo um fator psicológico. Em outras palavras, até agora não foi ainda possível medir a intensidade psíquica, devido, penso eu, ao nosso uso dos números.

Ao procedermos a uma medição, usamos números de alguma espécie e por eles definimos a intensidade física. O número mede uma quantidade, ou o número é uma quantidade; por exemplo, o número cinco indica que há aqui cinco maçãs. Para nós, trata-se de um fato óbvio e absolutamente estabelecido. Se remontarmos à origem do uso do número, veremos que isso é um desenvolvimento completamente unilateral. Óbvia e naturalmente, o número indica uma quantidade – mas em sua forma original também indicava a qualidade ou o padrão de uma estrutura, e não uma quantidade; esse aspecto perdeu-se e foi lentamente deixado para trás no desenvolvimento da teoria do número no Ocidente, até que na matemática moderna o número tornou-se apenas uma quantidade. Portanto, naturalmente, se usamos um número quantitativo para medir quantidades físicas, não podemos usá-lo para medir a energia psíquica, porque, em sua essência, a energia psíquica se expressa em qualidade. Trata-se de um fator qualitativo, sendo esse o motivo pelo qual Jung afirma que só podemos medir a intensidade psicológica pela função do sentimento.

A função do sentimento, em comparação com a função do pensamento, informa-nos sobre a qualidade das coisas, diz-nos se uma coisa é agradável ou desagradável, perigosa ou inofensiva, ameaçadora ou não. Nós expressamos as qualidades por meio dos adjetivos. As pessoas que usam muitos adjetivos dão colorido ao que dizem com o seu sentimento, ao passo que as pessoas mais identificadas com o pensamento usam muito poucos adjetivos e numerosos substantivos em sua fala. As pessoas desse último tipo estão unicamente interessadas na definição do que é o quê, e ignoram a qualidade. Os artistas usam sempre muitos adjetivos, palavras que expressam qualidades. Se, por exemplo, como descrevi antes, uma pessoa sente que está sendo observada com intensa aversão, ela percebe, com seu próprio sentimento, não só que algo forte é constelado, mas até se é hostil ou benevolente. Não há meios racionais para explicar isso. Quando acusada de ser completamente louca e inventar coisas, a pessoa não pode fornecer uma explicação racional, porquanto trata-se de uma experiência da função do sentimento.

Naturalmente, com o sentimento, assim como com todas as outras funções, uma pessoa pode iludir-se e cometer enganos em tais situações. Podemos supor hostilidade quando não há nenhuma, ou supor erroneamente que uma coisa é de enorme importância, quando na realidade não é; a importância poderá estar em qualquer outra parte. Assim, não se pode confiar com absoluta certeza na função do sentimento; como todas as funções, trata-se de um órgão da percepção consciente, que pode, às vezes, nos enganar, mas é a única maneira pela qual é possível nos orientarmos no mundo da qualidade.

Vejamos agora o que aconteceu na outra extremidade do globo, na China. Ali, o número também se desenvolveu unilateralmente, mas serve para descrever a qualidade e não a quantidade. Sem dúvida, um carpinteiro ou um pedreiro chinês também medirá a sua parede, mas os chineses acham que esse é o aspecto mais baixo do número; é o que os artesãos usam, mas esse é o aspecto completamente trivial e desinteressante do número. O que é interessante é que o número espelha a qualidade de uma situação, ou um conjunto, como Granet o define.

Também devemos retornar agora à perspectiva sincronística dos chineses. Na minha primeira palestra, disse que os chineses não perguntam o que foi que fez alguma coisa acontecer; eles não têm uma ideia linear de tempo – certamente o leitor se lembra do meu esquema linear. Nós dizemos, por exemplo, que o celeiro incendiou-se porque as crianças foram brincar nele; as crianças foram brincar no celeiro com fósforos porque a mãe, de mau humor porque o pai a agredira na cabeça, as enxotou de casa; logo, a razão pela qual o celeiro se incendiou foi o fato de o pai ter batido na cabeça da mãe! Esse é o efeito A, B, C, D, o método de uma investigação policial. É o modo como encaramos as coisas; procurando sempre descobrir por que alguma coisa aconteceu, percorremos o caminho inverso em busca da causa.

Terminamos com o efeito e voltamos atrás para reconstituir a sequência ou linha de eventos. Isso é a causalidade, que, até fins do século XIX, foi considerada uma lei, apesar de sabermos, agora, que ela só existe como probabilidade. Os chineses perguntam: "O que é provável que aconteça em conjunto?". Então exploram tais aglomerados de eventos internos e externos. A figura 1 (p. 10) ilustra essa atitude: eventos distintos agrupados em torno de certo momento no tempo.

Também temos certa percepção consciente disso. Em alemão temos um ditado: *Ein Unglück kommt nie allein* — a desgraça nunca vem sozinha; há sempre uma segunda e uma terceira. Há a tendência para uma reação em cadeia. Ou dizemos: *Alle guten Dinge sind drei* — todas as coisas boas acontecem em trincas. Há também muitas superstições: se alguém sofreu dois acidentes, então as pessoas dizem: "Que venha logo o terceiro, para liquidar o assunto", porque acham que haverá um terceiro antes da sequência parar, ou que "não há dois sem três".

Assim, enquanto temos apenas uma espécie de percepção popular supersticiosa do fato de haver uma tendência relativa a certos eventos de se aglomerar, os chineses concentram toda a sua atenção científica justamente nisso. Se acaso lermos as crônicas históricas chinesas, perceberemos que elas simplesmente dizem que no Ano do Dragão tal e tal, a imperatriz fugiu com seu amante, os tártaros invadiram o país, as colheitas fracassaram e na cidade de Xangai houve um surto de peste. Depois, no ano seguinte, o Ano do Tigre tal e tal, a imperatriz voltou arrependida e nesse mesmo ano um dragão saiu do lago Tungting e teve de ser banido ou exorcizado e que, depois, ocorreram alguns outros eventos políticos. Essa era a maneira como eles escreviam a História que, para eles, não era apenas o que chamaríamos uma coleção fortuita de fatos.

Sem dúvida, os historiadores ocidentais desprezaram esse método de escrever, porque não o entenderam. Disseram que era simplesmente ridículo colecionar um punhado de fatos ao acaso e reuni-los. Era uma idiotice. Porém, para o leitor chinês é completamente diferente. Ele diria: "Ah, ah, então foi assim que tudo aconteceu!". Para ele isso constitui uma informação completa sobre o Ano do Dragão tal e tal; ele tem um quadro intuitivo de como o tempo foi constelado nesse momento e de que todas essas coisas *tinham* de acontecer juntas.

Os ocidentais estão percebendo lentamente que *há*, de fato, uma tendência para as coisas ocorrerem juntas; não se trata de fantasia, mas de uma notória propensão dos eventos para se aglomerarem. Até onde podemos vislumbrar, isso está relacionado com os arquétipos; ou seja, se certo arquétipo está constelado no inconsciente coletivo, então certos eventos tendem a acontecer juntos.

Em nossa história, apenas um exemplo de tais coisas tem sido assinalado: o fato de que ao ser efetuada uma nova descoberta por um cientista, ou ao ser anunciada uma grande invenção, que realmente muda a situação da humanidade, há uma tendência para vários cientistas terem, ao mesmo tempo e no mesmo ano, a mesma ideia, de modo inteiramente independente. Ou dois homens que nada sabiam a respeito um do outro, no mesmo ano acabam por inventar a mesma coisa. Sobrevém, então, uma contenda em torno do plagiato, se um deles *sabia* do outro e se não teria roubado a ideia dele; no entanto, em muitas dessas situações, pode-se provar realmente que não existia conexão alguma. Os dois simplesmente descobriram a mesma coisa ao mesmo tempo. Esse é o modo chinês de ver as coisas e essa é a única área que foi reconhecida pela mente ocidental. Em histórias honestas da ciência é possível encontrar esse tipo de observação, ou seja, que por mais estranho que pareça, há uma tendência para certas ideias e invenções surgirem ao mesmo tempo em lugares diferentes.

Do ponto de vista psicológico, isso nada tem de milagroso. No espírito do tempo, por assim dizer, estão consteladas certas interrogações e certos problemas psicológicos. Depois, várias pessoas inteligentes têm a mesma questão em mente, exploram os mesmos caminhos e chegam aos mesmos resultados; isso se deve à constelação de um arquétipo no inconsciente coletivo. Procurei, por exemplo, na primeira palestra, explicar-lhes que arquétipo eu acho que agora está constelado no inconsciente coletivo, isto é, o arquétipo do homem completo, o Antropos. Muitos eventos do nosso tempo, lidos nos jornais, podem ser explicados mostrando-se que todos eles apontam para o mesmo fator, e que esse arquétipo está agora constelado, surgindo em milhares de formas.

Os chineses têm uma percepção intuitiva disso e, portanto, pensam que a melhor maneira de escrever a História consiste em obter o quadro real de um momento do tempo no passado, coletando todos esses eventos coincidentes, os quais, em conjunto, fornecem um quadro legível da situação arquetípica existente naquele tempo, e isso propicia novamente a ideia de um campo. Poderíamos dizer que os eventos se mostram em um campo ordenado de tempo e que esse é o modo como os chineses usam o número. O número fornece informação sobre um conjunto de eventos ligados pelo tempo. A cada momento existe outro conjunto, e o número informa sobre a estrutura qualitativa dos feixes de eventos temporalmente reunidos. Tal fato parece complicado, mas essa é a maneira mais simples que encontro de expô-lo. Se formos justos, penso que devemos ver o número como uma representação ou ideia arquetípica que contém um aspecto quantitativo e um aspecto qualitativo.

Portanto, antes de podermos abordar todo o problema da adivinhação, temos de rever a nossa concepção de número e de matemática. A partir daí, talvez nos seja possível focalizar alguns outros fatores a cujo respeito até agora apenas pudemos confessar nossa incapacidade de medi-los, abordando-os somente com a função do sentimento.

Na realidade, na China o número fornecia informações sobre os sentimentos e a ética. Abandonemos, por um instante, o preconceito de que há atos bons ou maus em si mesmos – o que, de fato, é um completo absurdo, pois não há – e digamos que uma ação ética depende sempre de quem faz o quê, em que momento. É claro, isso poderia ser discutido! Por exemplo, vejamos o homicídio; o leitor poderá dizer que o homicídio é sempre um crime, mas eu replicaria: "Desculpe-me, e o que me diz de Guilherme Tell? E de um homem que tivesse fuzilado Adolf Hitler em 1935? Não o teria chamado de uma pessoa sumamente ética e de o maior herói da história? Até mesmo o homicídio depende de quem faz o quê, em que momento, em que medida e com que consequências". Mas o sentimento do leitor se revoltaria, dizendo: "Não, isso não cabe na categoria de homicídio, é uma coisa diferente". No entanto, enquadra-se na categoria de homicídio, pois um homem matou outro homem.

Logo, vê-se que não há Bem e Mal objetivos; nosso sentimento funciona de maneira diferente, dependendo de quem faz o quê, e em que contexto. Entra aí a ideia de medida. Um analista sabe disso. Se temos de falar a um analisando sobre certa sombra desagradável, a intensidade com que o fazemos dependerá das circunstâncias. Se estivermos violentos demais, a resistência obstinada do outro será despertada e a coisa ficará toda bloqueada; se formos brandos em demasia, não exercendo pressão alguma, o outro poderá ouvir e dizer: "Sim, sim", mas esquecerá tudo o que tiver sido dito, pois não causou impressão alguma. É preciso medir o que se requer no caso, e a execução correta ou incorreta dependerá da exata intensidade emocional. Se o que temos a dizer for dito com excessiva intensidade emocional, o outro ficará bloqueado; se for dito com demasiada brandura, entrará por um ouvido e sairá pelo outro.

Jung, por exemplo, disse que as pessoas loucas necessitavam de eletrochoques, mas isso ele nunca lhes daria com uma máquina; ele próprio os aplicaria com gritos ou agredindo a pessoa na cabeça, porque, então, poderia medi-los com o seu sentimento. Assim, pode-se medir exatamente se é preciso um grande ou um pequeno choque para despertar o indivíduo. Por vezes, quando as pessoas estão em estado de possessão emocional, a única maneira de impedi-las de tentarem morder é agredindo-as verbal ou fisicamente, mas tudo depende da medida, e isso requer a função do sentimento. Só pelo nosso sentimento é que podemos dizer até que ponto nossa voz deve se erguer ou se, talvez, com uma pessoa sensível, baste murmurar a coisa terrível para, então, ocorrer imediatamente uma espécie de apaziguamento e dizer-se: "Bem, naturalmente isso não é assim tão importante, todo mundo se sente indisposto vez por outra" etc. Mesmo assim, o outro empalidece e mostra-se completamente chocado. Tudo isso se situa na área do sentimento – a função do sentimento dá a informação e a medida.

Nesse caso, o sentimento relaciona-se com a medida; então, por que não haverá de relacionar-se também com o número?

4ª PALESTRA

Na palestra precedente, apresentei a ideia de que poderíamos conceber o inconsciente coletivo como um campo, cujos pontos excitados seriam os arquétipos. Tentei mostrar que a rede de relações entre os vários arquétipos é como um campo em que as conexões são o significado – o campo em que podemos enunciar ou observar relações significativas. Surge, portanto, uma pergunta sobre a distribuição dos arquétipos nesse campo, se foi fortuita ou ordenada. Acabei por delinear a ideia de que o arquétipo do Si-mesmo (*Self*) e sua ordem aritmética regulam todo o campo; é um arquétipo superordenado, que regula a distribuição no campo.

Que os arquétipos podem ser vistos como ordenados em um campo é uma ideia muito antiga. Já Platão tentou construir um campo na forma de uma pirâmide (figura 10). É provável que tivesse em mente o *tetractys* pitagórico, no qual a ideia do Bem seria da mais elevada ordem – na filosofia platônica, essa é a imagem de Deus ou do Si-mesmo, a que ele subordina todos os outros arquétipos.

No seu ensaio sobre a sincronicidade, Jung menciona um padrão diferente. No passado, foram realizadas várias tentativas de coordenar com os arquétipos certos números em uma certa ordem e desse modo estabelecer um campo orientado pelo número. Jung menciona Aegidius de Vadis, Agrippa von Nettesheim e alguns outros. Aegidius de Vadis diz, por exemplo, que todos os elementos (a que chamaríamos imagens arquetípicas) estão relacionados com certos números. Em toda a Antiguidade e, de novo, em boa parte do período da Renascença, ocorreram numerosas tentativas de construir tais campos, mas não quero entrar nesse aspecto da questão. Só o mencionei para mostrar que essa ideia sempre pairou na mente das pessoas, que tinham, então, uma espécie de palpite de que deveria existir essa ordenação dos arquétipos.

Agora, porém, apesar desse fato, temos de indagar qual é a diferença entre os arquétipos de número, de representações numéricas, e os de representação de imagem. Se, por exemplo, tomarmos o número 2 como uma ideia ou uma representação arquetípica, ele é muito mais abstrato do que o arquétipo do herói ou do que o arquétipo da Grande Mãe. Assim, por um lado, temos uma imagem mitológica e, por outro, algo abstrato, ou seja, um número. No passado, as pessoas simplesmente diziam que o deus-imagem era o número 1, o deus-mãe era o número 2 etc.; elas simplesmente atribuíam certos números a certos arquétipos. Há infinitas variações desses padrões. Observando todos esses padrões passados, é impossível construir qualquer ordem. À semelhança dos mitos, há variações nacionais e culturais e não se pode deduzir uma ordem absoluta; portanto, temos de perguntar a nós mesmos em que consiste a diferença entre número e imagem arquetípica. Se eu digo, por exemplo, "o arquétipo do número 2", a ênfase recai sobre a ordenação, ao passo que se digo "o arquétipo do deus-imagem", então a ênfase incide sobre uma complexa experiência de sentimento psicológico e não, especificamente, sobre o seu aspecto ordenado. Por conseguinte, pode-se dizer que os números enfatizam, especialmente, o aspecto de ordem dos arquétipos.

Além disso, há um sistema mitológico, o sistema dos maias, que liga tão estreitamente o número com as representações arquetípicas, que ele está, inclusive, contido nos nomes. Por exemplo, o grande herói do Livro do Conselho chama-se Hunab Ku – o nome deriva de Hun, o Uno. Há outro herói chamado Sete Caçador. Depois, existem os "oito deuses", e em cada um de seus nomes foi incluído um número. Nessa concepção maia, retorna-se à origem da ideia, isto é, à sequência de tempo, porque a cada divindade dessa religião é atribuído um dia do ano no calendário. Portanto, o número relaciona-se com um lapso de tempo, e penso que seja essa a conexão essencial –

pois, se observarmos os arquétipos, ou as representações arquetípicas em que aparecem sequências temporais, há certa regularidade ou ordem. Assim, os números, quando são identificados com certas representações mitológicas, são o que poderíamos chamar de números temporais, visto que caracterizam um determinado momento no tempo.

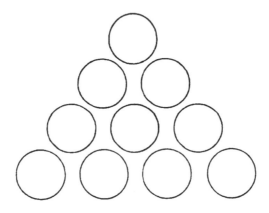

Figura 10. Campo aristotélico – imagem arquetípica do Si-mesmo (*Self*).

O mesmo é verdadeiro para a mandala. Na palestra anterior, tentei mostrar que o arquétipo do Si-mesmo e suas estruturas matemáticas representam a ordem básica de tais campos de representações mitológicas. Sabemos que o arquétipo do Si--mesmo aparece com frequência em uma estrutura matemática ou numérica, isto é, a mandala, que é uma de suas representações mais generalizadas. Jung diz que a mandala simboliza, por meio do seu centro, a unicidade fundamental de todos os arquétipos. O leitor vai se lembrar de eu ter dito antes que tudo é tudo, que é sempre possível relacionar todos os arquétipos. Portanto, há sempre essa unicidade secreta. Na terminologia junguiana, todos eles estão contaminados e são, também, essencialmente unos; a mandala, por meio do seu centro, simboliza tanto essa unicidade fundamental quanto a multiplicidade do mundo de aparência.

Isso constitui, portanto, uma correspondência empírica com a ideia metafísica do *unus mundus*. Voltarei mais adiante a essa expressão, solicitando ao leitor que a mantenha em mente. Entretanto, se o uno se manifesta em muitas formas, não devemos concebê-lo como uma descontinuidade, porque, se todos os arquétipos são sempre uma unicidade, então não podemos cortá-la em pedaços, ou podemos fazer isso arbitrariamente, mas não tem significado algum. Para observar sua unicidade, é melhor pensar num cristal com suas muitas facetas. Se girarmos o cristal ou sua posição for mudada, veremos sempre outra faceta; assim, aparentemente, percebemos muitas coisas, mas que são, na realidade, diferentes aspectos de um único cristal.

Então, podemos conceber o inconsciente coletivo como sendo sempre, em última instância, o Si-mesmo, ou aquela mesma coisa única, que transcende a nossa capacidade de apreensão. Assim, por exemplo, se sonhamos com o arquétipo do herói ou do deus--Sol, é como se víssemos uma faceta, e ao girarmos o cristal veremos, ainda, outra faceta da mesma coisa. Encarado desse ângulo, intervém o *tempo*, pois sempre haverá uma faceta que se vê primeiro. Há uma sequência de tempo naquilo que percebemos, como é evidenciado nos contos mitológicos, nos quais não há somente figuras típicas. Por exemplo, nos contos de fadas, não há apenas a figura típica do rei, do tolo, da bruxa ou do animal prestativo, mas esses elementos repetem-se em formas diferentes, nos diferentes mitos.

Uma extensa pesquisa sobre muitos sistemas mitológicos mostra que certos elementos básicos são sempre retidos: a criança divina, o herói, a serpente, o dragão, o inimigo do herói etc. Contudo, não se trata apenas de imagens típicas, como as chamamos, mas também de sequências e conexões típicas, isto é, onde está a pérola há sempre um dragão e onde está o dragão há sempre uma pérola. Ou podemos prever que, se o herói tem a colaboração de um animal prestativo, triunfará sempre. Em todos os mitos e contos maravilhosos que estudei, nunca vi um caso em que o herói, ajudado por animais, não levasse a melhor. Se ele adota um animal prestativo ou grato, que prometeu ajudá-lo, pode-se prever, com absoluta certeza, que não haverá uma tragédia, mas um final feliz. Desse modo, podemos predizer, com certa exatidão, a sequência de tempo na história e predizer o que irá acontecer. Isso significa que há não apenas motivos típicos, mas também sequências típicas de eventos arquetípicos.

O físico Wolfgang Pauli pensou até que isso poderia explicar o fenômeno da precognição, ou seja, que sabemos, em nossa psique inconsciente, qual arquétipo está agora constelado e, desse modo, podemos predizer o que virá a seguir. Em outras palavras, o fenômeno de precognição psíquica baseia-se nessa ordem temporal do arquétipo.

É interessante assinalar a esse respeito que o verbo inglês *to tell* (narrar, contar uma história) é em alemão *erzähle*, que deriva da palavra *Zahl*, número. *Erzählen* é "numerar" uma imagem arquetípica. Em francês, *to tell* é *raconter*, vocábulo afim de *compter*, contar, enumerar; e, como Nora Mindell assinalou, em chinês, a palavra para enumerar significa *Suan*, contar o *chi*, isto é, a origem, de *lai*, o que quer dizer: do que acontecerá, contar a origem do que irá acontecer.

Nessas estruturas etimológicas, vemos que o homem deve ter sabido originalmente que, quando narra uma história mitológica ou arquetípica, é como se estivesse contando. Obedece a certo ritmo ordenado de eventos. Aqueles leitores que porventura tenham tomado conhecimento de minhas conferências sobre contos de fadas sabem que, há muitos anos, e muito antes de eu refletir sobre estas coisas, descobri que era muito útil contar as figuras de uma história e, depois, simplesmente organizar um esquema do que aconteceu na forma de números.

Recordarei apenas uma história para mostrar o que tenho em mente. Há um conto russo intitulado "O Czar Virgem", no qual o czar reinante tem três filhos. Dois são normais e o terceiro é um tolo, desprezado por todos, que fica sentado junto à lareira coçando-se, e que ninguém leva a sério. É a coisa usual: o que está faltando é o arquétipo feminino. Há um quaternião, ou seja, uma integralidade, uma totalidade, mas sem uma fêmea. Na atitude consciente dominante, falta o elemento feminino. Há uma ideia religiosa que expressa, por completo, a totalidade em seu aspecto masculino, mas não expressa o aspecto feminino concomitantemente, de modo que podemos, com facilidade, conjeturar que a história será a respeito de se encontrar ou incorporar a fêmea.

Os três filhos vão para o Reino Sob o Sol para descobrir vestígios do lugar por onde o pai deles andara e, também, provavelmente, do lugar de onde o pai trouxera a mãe deles, agora morta. Como de costume, dois filhos se perdem e fracassam. O terceiro, porém, encontra três bruxas que se chamam todas Baba Yaga, *a* grande bruxa de todos os contos de fadas russos, uma espécie de figura da Grande Mãe devoradora. Essas três Babas Yaga são todas irmãs, três aspectos da mesma coisa, e têm uma sobrinha que não é bruxa, mas uma bela mulher chamada Maria da Trança Dourada. O leitor pode adivinhar o resto: o filho encontra as três bruxas, que o enviam a Maria e, após longas tragédias, que não descreverei aqui e que são enumeradas em detalhe, ele se casa com Maria (figura 11). Depois, partem juntos para outro reino, onde Maria tem gêmeos.

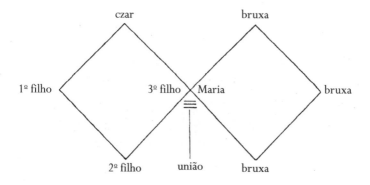

Figura 11.

Vemos, assim, a matemática da história: há na consciência coletiva um quaternião puramente masculino e, no inconsciente coletivo, um quaternião puramente feminino. Um processo dinâmico, que é a "contagem" da história, termina com três homens e uma mulher; ainda é predominantemente masculino, mas existe uma mulher, de modo que se trata de um símbolo de totalidade em que o feminino está agora representado. Também os gêmeos são crianças pequenas, o que significa uma forma de renovação; assim, o quaternião é renovado, tem novamente um futuro e o elemento feminino participa dele. Os primeiros dois filhos do czar, os irmãos, são condenados à morte, de modo que o que resta é um antigo quaternião constituído pelo czar e as três bruxas e um novo quaternião, que é o resultado real da história, consistindo em Ivã (o terceiro filho), Maria e seus dois filhos (figura 12). Assim se desenrola o futuro, e o fluxo de energia psíquica continua.

Há uma sequência de tempo e número muito definida em todas as histórias arquetípicas. Não é sempre, embora seja com frequência, um jogo de quaterniões, mas geralmente há tríades e quartetos nas histórias de fadas, histórias que "dançam", nas quais podemos ver que há uma estrutura matemática definida. Por exemplo, nunca encontrei uma única história que começasse por "Um rei tinha três filhos…", em que o problema não fosse integrar o feminino. Assim, é possível ter a precognição, sem conhecer a história, de que de algum modo ela adotará esse rumo; pode-se predizer a sequência de tempo e, em certa medida, até o modo como o jogo dos arquétipos determina qual a faceta seguinte do grande cristal que se apresentará e em que direção irá girar. Porque, segundo parece, originalmente as pessoas conheciam esses fatos, descobrimos em muitas línguas a ligação entre "contar" uma história e a ideia de *Zahl*, número. Isso acarreta o problema da energia e do tempo, de que me ocuparei agora.

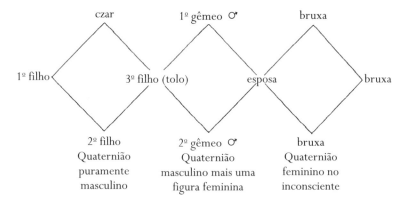

Figura 12. Sequência infinita de ritmo.

Na história há um processo de energia: um quaternião chegou ao fim, imobilizou-se, e dá-se, então, um fluxo de energia, isto é, a aventura do terceiro filho que provoca o resultado desejado, o novo quaternião, e logo a história é interrompida. Todos os contos de fadas são interrompidos em um certo ponto, mas nunca é o ponto final; é como uma melodia eterna ou, por exemplo, um *pot-pourri* musical, no qual temos uma melodia; depois uma nota de suspensão e, logo, outra melodia. Em "O Czar Virgem", por exemplo, eu diria que aqueles dois são muito jovens e há apenas uma mulher, em vez de dois homens e duas mulheres; não é um resultado final muito equilibrado, mas é um progresso em relação à situação anterior. Assim, podemos imaginar facilmente uma história em que existe um rei e uma rainha com dois filhos, que são raptados por um dragão etc. Tais histórias existem, e continuam até chegar a outro resultado.

Não se trata meramente de uma ideia arbitrária minha, mas é como, por exemplo, funcionam os autênticos contadores de histórias. Os contadores de histórias orientais sentam-se na praça do mercado e simplesmente ficam o dia inteiro desfiando-as; as pessoas as ouvem por algum tempo, depois deixam uma esmola e vão embora, mas o contador de histórias prossegue, e as pessoas que nada têm que fazer – e no Oriente a maioria está nessa situação – sentam-se e as ouvem o dia inteiro; essas têm de pagar um pouco mais. E o que faz um contador oriental de histórias? Ele sempre usa essa nota de suspensão e inicia outra história a partir daí. Cria outra cadeia de eventos e podemos ver isso, porque temos essas histórias. Por exemplo, nas coleções europeias, as histórias são relativamente curtas em comparação com as orientais; em um volume de histórias orientais, o que no seu congênere europeu daria para três ou quatro histórias, é apenas uma, sendo as três ou quatro unidas entre si com absoluta perfeição. Não há divisão nas histórias; há uma relação tão sensível com as conexões arquetípicas que os contadores sempre sabem que história seria a continuação da última e, então, iniciam a nova melodia, desse modo formando aquelas extensas cadeias narrativas que, em nossos países, existem como histórias separadas.

Posso dizer, portanto, que "contar" é atravessar o tempo em um certo ritmo – continuar, continuar sempre, no ritmo do arquétipo, e que isso tem uma ordem secreta. Não se pode começar com *qualquer* história; não se pode, por exemplo, inserir a Branca de Neve ou a Chapeuzinho Vermelho em nossa história, mas pode-se adicionar uma história de uma rainha que tem gêmeos e de uma bruxa que a calunia, dizendo ao marido dela, ausente, na guerra, que a rainha deu à luz uns cachorrinhos, e assim por diante. Só se pode continuar em uma certa direção quando um resultado foi alcançado e, não, em outra direção, e esse mesmo fato confirma a ordem secreta na sequência dos arquétipos. Eles não podem ser encadeados arbitrariamente, mas em uma sequência infinita de tais ritmos. Uma história arquetípica, como um sonho, é uma autorrepresentação do fluxo de energia psíquica.

Sabemos que Jung, introdutor do conceito de energia psíquica, também considerou, a esse respeito, os sonhos como um fluxo de eventos, uma sequência de imagens que representam ou visualizam certo fluxo de energia. É por isso que, ao analisar os sonhos, a *lysis*, ou catástrofe, em que todos eles geralmente terminam, é tão importante, pois isso mostra qual foi a meta visada pelo fluxo de energia. Na análise, enquanto escuto o relato de um sonho, sempre penso "e depois, e depois, e depois?", e mantenho na mente a frase final do sonho. Por vezes, as pessoas deixam que o sonho termine antes do seu desfecho e, então, eu pergunto: "Foi realmente essa a frase final do sonho?". "Sim, aí eu acordei" – e fico sabendo até que ponto chegou o fluxo de energia psíquica. Assim sabemos onde a corrente vital subjacente à consciência está fluindo, que objetivo está visando e em que direção está indo. A frase de abertura de um sonho é importante porque mostra a situação presente, mostra onde aquele que sonha está agora, neste mundo confuso. Depois vem uma sequência de eventos, e a frase final fornece a indicação de para onde a energia está fluindo.

Consideramos os sonhos, portanto, como um processo de energia, como uma visualização do fluxo da energia do inconsciente, e o mesmo pode ser dito dos sonhos mitológicos, histórias de fadas e mitos – as formas arquetípicas dessa manifestação. Podemos sempre encará-los de um ponto de vista da energia. Portanto, ao final da palestra anterior, falei do problema da relação entre energia física e psíquica e sublinhei que, enquanto a energia física pode ser medida quantitativamente, não temos ainda meios para medir a quantidade de energia psíquica, exceto por uma percepção sensível de intensidade. Terminei aquela palestra discorrendo sobre esse sentimento que temos, de modo que, mesmo que alguém diga alguma coisa em tom muito calmo, ainda assim sentimos um terrível montante de energia subentendido no que está sendo dito; é a função do sentimento que nos fornece essa orientação.

Já me perguntaram por que chamo a energia psíquica de fenômeno qualitativo e energia física de quantitativo. Procedi de um modo muito unilateral. Dei grande ênfase a esses opostos simplesmente para incutir na mente dos leitores os dois opostos de qualidade e quantidade. Em geral, referimo-nos à psique como sendo o mundo da qualidade, pois a energia física não se manifesta em imagens, só podemos entendê-la quantitativamente. A energia psíquica, por outro lado, ou a constelação ou situação psíquica, manifesta-se em símbolos que só podemos descrever qualitativamente. Assim sendo, de modo geral referimo-nos ao mundo da psique e à energia psíquica como um fenômeno qualitativo, e ao mundo da energia física como um fenômeno quantitativo.

No entanto, como Jung sublinha em *A Natureza da Psique*, é provável que a energia psíquica e a energia física sejam simplesmente formas diferentes de uma só coisa; portanto, a energia que se manifesta qualitativamente tem, de fato, um aspecto quantitativo latente e vice-versa. Os físicos modernos dizem que um salto quântico ou, por exemplo, o salto de um elétron em sua frequência para uma órbita exterior, muda a estrutura de um átomo não só quantitativa, mas também qualitativamente e, por conseguinte, na verdade é impossível separar quantidade e qualidade, que são conceitos mentais complementares. Quero dizer com isso que eles não existem objetivamente; podemos observar a mesma coisa do ponto de vista qualitativo ou quantitativo, e até a energia física, como assinala Viktor Weisskopf, tem um aspecto qualitativo, na medida em que condiciona estruturas diferentes. Uma mudança de quantidade gera uma mudança de estrutura e, consequentemente, uma mudança no que chamamos de qualidade.

Assim, pode-se dizer que até mesmo a energia física, em geral medida quantitativamente e observada do ponto de vista quantitativo, tem um aspecto qualitativo latente; mas também é verdade que a energia psíquica, que podemos observar principalmente em sua manifestação qualitativa – por exemplo, como imagem etc. – tem um aspecto quantitativo latente, que consiste nesse impacto de maior ou menor intensidade. O próprio fato de dizermos isso é mais ou menos impressionante, mostra que se trata de um enunciado quantitativo, e não apenas qualitativo.

Ora, o nosso preconceito ocidental é de que o número só pode contar ou expressar quantidades; para nós, ele é o instrumento de contar *quanta*. Todos pensamos em uma maçã, duas maçãs – essa é a quantidade de maçãs, ou batatas, ou seja o que for. Mas se o número, segundo a hipótese de Jung, é o arquétipo que une o mundo da psique e da matéria, então deve também compartilhar, em certa medida, do mundo da qualidade e, nesse ponto, foi para mim revelador descobrir que na China o número é usado de um modo completamente qualitativo.

Quem ler *La pensée chinoise* (O Pensamento Chinês), de Marcel Granet, ficará sabendo que, para os chineses, o número representa estruturas qualitativas. Por exemplo, se algo é um, então, isso aponta para o todo, o universo e sua integridade, por exemplo, o Tao. Se algo é dois, aponta para a realidade observável em todos os domínios: na música, no sentimento, na física, em toda parte, por assim dizer. Em outras palavras, o número comunica à mente chinesa uma associação qualitativa. Isso chega a tal ponto que, no começo, tive grande dificuldade em ler Granet, até chegar a uma história contada por ele, que, de fato, de tão chocante, me despertou. Eis a história. Houve certa vez onze generais que tinham de decidir se atacariam ou bateriam em retirada numa batalha. Reuniram-se e uns eram pelo ataque, outros pela retirada. Tiveram uma longa discussão estratégica e, finalmente, decidiram fazer uma votação: três foram favoráveis ao ataque e oito à retirada, de modo que eles decidiram atacar – porque três é o número da unanimidade!

Como veem, na China, o três tem a qualidade de ser a unanimidade e, pelo efeito casual de que três pessoas eram pelo ataque, eles acertaram na qualidade do número 3 e, portanto, a opinião deles era a certa. Um chinês poderia dizer, talvez, que subjacente, inconscientemente, havia unanimidade a favor do ataque, apesar do fato de apenas três serem conscientemente por essa alternativa, ao passo que oito só inconscientemente o eram, enquanto conscientemente defendiam uma outra decisão. Portanto, eles atacaram – e saíram vitoriosos, de acordo com a história.

Do ponto de vista dos nossos preconceitos, essa é uma ideia totalmente louca, mas se deixarmos que a história penetre bem fundo em nossa mente, então compreenderemos o que é um número qualitativo. Em uma votação, por exemplo, não se trata de saber que grupo está em maioria, mas que grupo acerta no número correto, e é a opinião dele que conta. Suponhamos que o número 1.566.000 é o número que expressa a vontade autêntica da Suíça e que teremos de votar a respeito de alguma coisa; o vencedor seria simplesmente o grupo mais próximo desse número, independentemente do fato de outros grupos terem quantitativamente mais pessoas. Essa é a peculiaridade da mente chinesa, e é uma boa peculiaridade, porque, de fato, elimina em nós o preconceito de que o número só pode ser uma quantidade. Na mente chinesa, o número é uma estrutura que tem certas qualidades.

No *I Ching*, o Hexagrama 60, chamado *Chieh* (Limitação), diz que nem na vida nem em parte alguma da natureza existe a ilimitabilidade, que é um mal. Assim como a natureza tem suas limitações – os astros têm seus cursos, a árvore não cresce além de certa altura, tudo na natureza tem a sua medida – a vida humana também tem as suas medidas e, portanto, só é significativa se tiver suas limitações significativas, sua medida certa. Por conseguinte, a Imagem para o Hexagrama 60 diz que "o homem superior cria o número e a medida, e examina a natureza da virtude e da conduta correta". Logo, a ideia de número tem aí uma relação com a virtude e com a atitude correta.

Ao final de minha palestra precedente tentei explicar que não há qualidade objetiva num ato – depende da medida e do tempo, se for corretamente realizado dentro dos limites da personalidade. Para os chineses, virtude significa fazer as coisas corretas na medida certa, no momento certo, e em parte alguma encontramos essa ideia tão frequentemente quanto na análise. Se hoje digo uma verdade a um paciente, poderei destruí-lo; mas se aguardar e lhe disser daqui a três semanas, poderei ajudá-lo. Para tudo há o momento certo, a constelação certa para a ação, e atuar prematura ou tardiamente destrói toda possiblidade. Não consideramos isso o bastante. Pensamos demais em termos abstratos, ou que uma coisa é boa ou má, e não pensamos o bastante a partir do padrão sensível das circunstâncias temporais especiais em que atuamos, pois os nossos atos éticos dependem do tempo.

A raiz chinesa da palavra *Chieh* é a vara de bambu com nós, o que mostra com muita clareza como os chineses a viam. Uma vara de bambu tem certos nós, um ritmo, uma limitação, um número, e os segmentos de uma vara de bambu são o símbolo da virtude, da lealdade e da ordem ética. Portanto, o imperador era com frequência representado por uma vara de bambu, porque era o maestro do concerto ético de seu povo. Muitos textos chineses dizem que, se o imperador não está em ordem, então os números do império e os números do calendário se desorganizam. Nesse caso, a tarefa do imperador consiste em restabelecer o ritmo ético correto e, por via de consequência, também a ordem e o calendário – o que os chineses fizeram muito concretamente, pois tiveram numerosas reformas de calendário e por meio delas o imperador restaurou também a ordem ética de seu império.

Aqui temos, uma vez mais, o número associado a um momento no tempo. Há, por assim dizer, um momento um, um momento dois, um momento três, relacionados com o tempo e com o comportamento ético, o que, em nossa linguagem psicológica significa relacionados com a qualidade do sentimento. A ética é uma questão de sentimento, não de intelecto. Com muita frequência, em muitos sonhos, desde que a minha atenção foi despertada para isso, vi a diferenciação dos sentimentos representada pelo espectro do arco-íris. Se uma pessoa tem um sentimento muito primitivo, tem, então, reações em preto e branco: Gosto disto, ou não gosto disto, e nada existe no meio; ou isto é bom e isto é mau, agradável ou desagradável – é uma reação do tipo "ou... ou". Isso é típico do sentimento indiferenciado. As pessoas do tipo pensamento, por exemplo, reagem assim, ao passo que as do tipo sentimento têm uma espécie de espectro de reações sensíveis. Um tipo sentimento, quando perguntado: "O que pensa da dra. Fulana?", dirá: "Ah, bem, por um lado, tenho esta ou aquela impressão e esta crítica", e assim por diante, e fornecerá todo o espectro do arco-íris sobre a personalidade de tal pessoa, um espectro dos diferentes sentimentos que alimenta em relação ao fenômeno da sra. Fulana.

As pessoas que não têm o sentimento diferenciado têm sonhos que mostram que têm de aprender a diferenciá-los desse modo como o arco-íris, abandonando as reações primitivas do tipo tudo-ou-nada. Se pensarmos no mundo jurídico, o qual, em última instância, tem tanto a ver com os problemas éticos, veremos como é importante para o juiz ou para o advogado ter esse espectro diferenciado para entender o criminoso. Por um lado, o homem é culpado e responsável por seu ato, mas, por outro, as circunstâncias também têm de ser consideradas e, na prática, isso sempre é feito por nós; por fim, chega-se a um julgamento sensível, quando todos os prós e os contras e os matizes da situação foram considerados e ponderados.

Os chineses foram ainda mais longe, tendo uma ideia muito semelhante à francesa de que, realmente, compreender é ser capaz de perdoar a outra pessoa. Eles atribuem grande peso a essa diferenciação de sentimento. O mesmo pode ser dito do trabalho analítico, pois somente quando uma pessoa pode, de modo sutil, ter uma reação de espectro – o que significa também não estar seguro do que é certo e errado, mas ser capaz de ver as diferentes nuances, os prós e os contras – poderá chegar genuinamente a uma compreensão humana. O sentimento tem um espectro e o espectro tem diferentes frequências, de modo que, uma vez mais, há um aspecto quantitativo latente no que é, em princípio, qualitativo.

Na China, o arco-íris é o símbolo de Eros, porque é o elemento que liga o céu e a terra, que são para os chineses os grandes princípios de Yin e Yang; portanto, o arco-íris é um símbolo do sentimento ou da ligação Eros. Também aí manifesta-se a ideia de que o sentimento tem um espectro e uma ordem numérica e de que existem, se assim podemos dizer, números de sentimento-e-tempo. É isso o que o número significa na China. Como explicamos isso?

Tentei estabelecer uma polaridade entre o número quantitativo e o qualitativo, mas ambos devem ter a mesma raiz no ser humano e, na realidade, também são aspectos secretamente complementares de uma só e mesma coisa. Neste ponto, cumpre-me chamar a atenção do leitor para o livro de Jung, *Símbolos da Transformação*, no qual ele desenvolveu pela primeira vez seu ponto de vista da energia em relação à psique. Jung assinala que oitenta por cento das manifestações originais de energia psíquica numa criança pequena são movimentos rítmicos com as pernas, os braços e a cabeça, mesmo quando produz o primeiro som: *popopopopo*. Durante horas, uma criança pequena se divertirá fazendo bolhas de saliva e produzindo esses sons rítmicos.

Também os primitivos só podem realizar qualquer espécie de ação se acompanhada desses movimentos rítmicos, sendo por isso que batucam ou dançam enquanto trabalham. Não podem trabalhar por sua própria volição; têm de mobilizar sua energia psíquica, sua *gana*, como a chamam os sul-americanos. Se perguntarmos a um latino-americano por que não foi trabalhar, o que foi que aconteceu, ele dirá: "*Mañana*, hoje não tenho *gana*". Se não conseguirmos provocar sua *gana*, ele não trabalhará.

Tenho um vizinho em Bollingen que ainda é assim. Ele prometeu fazer para mim algumas construções, mas nunca as fez e, finalmente, fui até a sua casa, sentei-me com ele e contei-lhe histórias, e então ele trabalhou entusiasticamente durante nove horas a fio. Tive de incutir nele a *gana*, mobilizar sua energia psíquica; e depois ele trabalhou realmente bem, mas ainda era como os índios sul-americanos e tivemos a seguinte conversa:

— Oh, acho que hoje não posso ir trabalhar.

— Bem, venha, hoje tenho tempo, não poderia apenas dar uma olhada?

— Ah, não, penso que o tempo vai estar ruim.

— Não, acho que não, poderíamos ao menos começar.

— Bem, vamos até lá dar uma olhada.

— Que tal levar sua pá e as outras ferramentas? Talvez dê para fazer alguma coisa, quem sabe?

E, então, ele ia e trabalhava por horas. Estava muito calmo ao cair da tarde e dizia:

— Bem, realmente fizemos alguma coisa.

Essa é a mentalidade primitiva em todo o mundo, pois a grande batalha com o primitivo é arrancá-lo da sua letargia. Quando eles sabem que têm de fazer qualquer coisa por si mesmos, fazem-no cantando e batucando, motivo pelo qual sempre há rituais de iniciação antes de toda e qualquer ação, seja para caçar ou lavrar os campos; sempre há uma espécie de cântico, tambores e rituais, para provocar a *gana*, para excitar a energia. O mesmo pode ser dito das crianças e aí está um dos segredos da pedagogia. Se houver professores entre os leitores, posso dizer-lhes que essa é a coisa a ser feita, pois, se instigarem a *gana* das crianças, poderão fazer com elas o que quiserem; as crianças não são preguiçosas, têm a mesma dificuldade do indivíduo primitivo para deslanchar. Uma vez que estejam apaixonadamente envolvidas, não conseguirão parar.

Assim, a manifestação original da energia psíquica, quando se converte em manifestação cultural, é conjugada com o ritmo; não se trata de um movimento motor aleatório, mas de um movimento rítmico. Jung diz que esse é o princípio da forma espiritual do instinto, que o aspecto fisiológico aí começa a ter uma forma espiritual. Levar a energia psíquica a manifestar-se ritmicamente é a primeira forma de ela se manifestar espiritual ou culturalmente. No reino animal talvez provenha da chamada reação deslocada. Quando se mostra a um cão seu alimento, ele tem todas as reações pavlovianas, com salivação etc., mas se, então, lhe retiramos a comida, ele é incapaz de deter essas reações; ele foi instigado a comer, de modo que se sentará e ficará arranhando e esgaravatando por meia hora. Isso é hoje muito conhecido e é o que os zoólogos chamam de reação deslocada. O mesmo acontecerá se mostrarmos a um cavalo sua companheira e, depois, retirarmos a égua; o cavalo ficará escoiceando por meia hora. No reino animal, oitenta por cento das reações deslocadas são movimentos rítmicos.

Nós também temos nossas reações deslocadas simiescas. Quando, por exemplo, as pessoas ficam impacientes em uma sessão, ou há um orador enfadonho, elas começam a se coçar ou fazem desenhos rítmicos com um lápis. Essa é a mais primitiva manifestação de energia livre. Assim, podemos dizer que no início o homem era provavelmente como os animais que vivem de modo inconsciente seus instintos: comer, acasalar, caçar, encontrar um lugar para viver e defender o território. Então, certo montante de energia era poupado e manifestava-se primeiro na forma de ritmos de reação deslocada.

Jung enfatiza em *Símbolos da Transformação* que, perto do Amazonas, encontram-se pedras com profundos entalhes feitos ao acaso pelos índios que se sentam nelas para aguardar a canoa que os transportará rio acima. Eles nada têm de fazer senão esperar, de modo que, com pauzinhos ou com outras pedras, ficam executando esses pequenos cortes o tempo todo. Não podem esperar sossegados e fazem isso; e, com o tempo, as pedras acabam por apresentar esses sulcos profundos. As mais antigas escavações que temos do Período Mesolítico, na Europa, são grutas que só recentemente foram descobertas. Não são as famosas grutas de Lascaux ou de Trois Frères, sobre as quais muito se tem falado – que, em sua maioria, foi descoberta pelo Abade Breuille que apresentam aquelas magníficas pinturas de animais, assim como os pontos ou desenhos feitos por um médico-feiticeiro, ou um xamã –, mas as grutas mais antigas descobertas em Milly-la-Forêt.

Estas situam-se no centro da França, em território muito inacessível, e nelas há linhas profundamente talhadas ao acaso – linhas e mais linhas, exatamente as mesmas que os índios ainda fazem nas pedras às margens do Amazonas, quando têm de esperar. Assim, os homens do Mesolítico sentavam-se nessas grutas, provavelmente quando chovia ou nevava e não podiam sair para caçar; então, divertiam-se com esses movimentos rítmicos. Esse é provavelmente o mais primitivo começo da liberação da libido animal e o princípio de sua transformação para um uso cultural.

Nas grutas de Milly-la-Forêt existem outras formações; por exemplo, arranjos regulares de buracos nas rochas, como um que ficou famoso, a que os arqueólogos chamam de pedras escavadas; depois, há triângulos com um ponto no meio e numerosas formas simples de mandalas. Uma delas parece um tabuleiro de damas, mas provavelmente nada tem a ver com esse jogo. Mais tarde, alguém desenhou nela um veado.

A sra. Marie König, que descobriu essas grutas e publicou a primeira descrição delas com fotografias, diz também participar da opinião (e ela não está contaminada pela psicologia junguiana ou por qualquer coisa parecida) de que essas grutas apresentam as primeiras tentativas de estabelecimento de uma espécie de visão ordenada do universo de tempo e espaço – uma tentativa de estabelecimento de coordenadas de tempo e espaço e de alguma ordem no mundo confuso que os cercava. Aí temos uma conexão imediata entre ritmo, movimento rítmico e energia psíquica, mobilizada a fim de produzir número e ordem.

Do ponto de vista histórico, talvez seja essa a origem da conexão, e vemos em que grau o número está absolutamente ligado ao ritmo. Na Grécia antiga, há ainda algo que aponta nessa direção. A palavra grega para número é *arithmos*, que é, como todos sabem, de onde deriva a palavra aritmética, e ritmo é *rhythmos*; a raiz etimológica é a mesma. Assim, na palavra grega para número está preservada a ideia de que o número era originalmente um ritmo e, eu acrescentaria, um ritmo psíquico.

Como sempre na China, os modos muito arcaicos de representação, abandonados por outras civilizações, foram preservados, sendo por isso que, naquele país, até o momento presente, o número é ritmo, um ritmo sensível, uma harmonia, uma composição qualitativa. Na China, por exemplo, uma pessoa pode dizer que o *ho*, na música, ou de uma sopa, é bom, pois a sopa também é como um concerto de várias reações sensíveis – uma boa sopa, com muitos sabores combinados nela, é como uma composição musical. *Ho*, para os chineses, significa harmonia musical e eles usam a palavra até para descrever a qualidade de uma refeição. Temos aí de novo uma ilustração da harmonia do ritmo, nesse caso de impressões gustativas. Portanto, eu formularia a hipótese de que o número possui aspectos quantitativos e qualitativos, que são complementares, e de que, basicamente, expressa um ritmo de energia, que pode ser contado quantitativamente ou experimentado pelo sentimento como uma qualidade ou estrutura, e isso era algo conhecido de certos povos orientais.

Um de meus ex-alunos japoneses, o dr. Mokusen Miyuki, chamou-me a atenção para o fato de que, quando o Budismo foi transplantado para a China, houve diferentes direções e diferentes filiações dos ensinamentos originais do Buda. Uma dessas filiações, caracterizada como muito abstrata e filosófica, foi o chamado HüaYen Budismo e, tal como os zen-budistas, suas tradições eram transmitidas por uma série de patriarcas. O terceiro patriarca dessa tradição foi um homem chamado Fa Tzang, que desenvolveu uma teoria numérica para explicar pela matemática como o Buda, de acordo com a tradição, pregou certo sutra num estado de profundo êxtase. Isso foi questionado por alguns intelectuais, que disseram: "Como poderia o Buda pregar quando estava mergulhado no sono, em profundo êxtase? Em tal momento, ele estaria no Si-mesmo (*Self*), em que a consciência do mundo ou de outras pessoas desaparece, portanto não havendo motivação para pregar. Quem está em êxtase e em união com o *Self* está silencioso e desfruta dessa unicidade em silêncio. Como poderia ele, nesse momento, começar a pregar, como se ainda tivesse a percepção consciente de outras pessoas à sua volta? Para um homem nesse estado as outras pessoas não existem".

Essa era uma contestação estúpida, mas não realmente ingênua, e Fa Tzang tentou explicar o fato pela matemática, dizendo que ele tem significação igual à da relação que o número 1 tem com outros números, isto é, que não podemos ver coisas simultaneamente, porquanto, ou estamos no Si-mesmo e, nesse caso os outros não existem, ou vemos os outros e não estamos no

Si-mesmo, mas somos por ele possuídos quando pregamos com a percepção consciente da existência dos outros. Ou uma pessoa está consciente do Si-mesmo e, então, não vê os outros; porém, o Buda; de fato encontrava-se em duplo estado mental, de modo que, paradoxalmente, ficava em ambos os estados ao mesmo tempo.

Isso, disse Fa Tzang, podia ser explicado pelo fato de podermos considerar o número desse modo. Falou do número em progressão (figura 13), sublinhando que os números são contados assim, em progressão. Disse que o número 6 ou 10 (ele só vai até 10) não podem existir sem o 1, do qual é, realmente, um aspecto. Mas também devemos considerar um número em regressão e ver que o 10 é, de fato, uma especificação qualitativa do número 1. Portanto, tem-se de inventar uma maneira retrógrada de contagem, sempre relacionada com o 1, e então podemos compreender o que ocorreu com Buda: quando ele se voltou para os outros, encontrava-se em estado de progressão, olhando para os muitos outros Si-mesmos das outras pessoas e tentando convertê-las, enquanto, ao mesmo tempo, ao olhar regressivamente, estava apenas em seu Um.

$$1 \rightarrow 2 \rightarrow 3 \rightarrow 4 \rightarrow 5 \rightarrow 6 \rightarrow 7 \rightarrow 8 \rightarrow 9 \rightarrow 10 \quad \text{progressão}$$
$$1 \leftarrow 2 \leftarrow 3 \leftarrow 4 \leftarrow 5 \leftarrow 6 \leftarrow 7 \leftarrow 8 \leftarrow 9 \leftarrow 10 \quad \text{regressão}$$

Figura 13

É, naturalmente, uma especificação do paradoxo da filosofia indiana o fato de o Atmã pessoal – o Si-mesmo pessoal – e o

Atmã superpessoal serem idênticos. Assim é nos Upanishads. Muitos textos dos Upanishads dizem que, se um homem alcançar o seu Si-mesmo pessoal, o Purusha dentro dele será, simultaneamente, idêntico ao Si-mesmo cósmico e, por conseguinte, será um com todas as outras pessoas. Assim, essa unicidade ou alteridade e seu paradoxo desempenham um papel importante na muito mais antiga filosofia hindu e isso é apenas uma especificação posterior. Tive conhecimento de Fa Tzang somente após ter concluído o meu livro, mas fiquei deliciada ao descobrir um irmão em espírito para a minha ideia de que deveríamos estabelecer agora uma matemática do número qualitativo.

Lancelot L. Whyte, já citado anteriormente, disse que antes de podermos integrar o mundo da qualidade no moderno mundo da ciência, temos de inventar um novo ramo da matemática com que possamos apreendê-lo, e eu penso vislumbrar ao menos o início de como isso poderia ser realizado. Se atentarmos para esses números qualitativos, como são usados pelos chineses, por exemplo, os números 1, 2, 3, 4 não serão quantidades diferentes, mas sequências, no tempo, da mesma coisa; veremos primeiro a totalidade e, depois, a faceta seguinte, depois a seguinte, mas é sempre o mesmo 1. A sequência é a continuação do número 1 ao longo de toda a série (figura 14), aspectos diferentes do mesmo número 1, em um contínuo subjacente.

Há outros conceitos matemáticos de contínuo, sobre os quais não devemos pensar agora, pois são quantitativamente definidos. Estou descrevendo uma ideia do contínuo diferente da encontrada nos livros de matemática. Essa outra concepção de contínuo já é conhecida por nós, pela famosa sentença alquímica de Maria Prophetissa, que assim reza: "Um torna-se 2, 2 torna-se 3, e do terceiro vem o 1 como o quarto". Como se vê, ela conta até 3 e depois diz: mas todos esses são realmente o 1 – ela concebe de novo a unicidade dos 3 e, depois, coloca-os todos juntos como 4. Nossa mente opera de modo progressivo, pois quando contamos normalmente 1, 2, 3, 4, 5, produzimos uma cadeia, ao passo que, quando contamos qualitativamente, podemos fazer a mesma coisa e dizer que agora temos 4. Sim, mas o 4 é realmente o contínuo do 1 em 3, de modo que retrógrado: 4 é uma unicidade de 3, e acrescento essa unicidade ao 3 para fazer 4, ou 5 é a unicidade de 4 etc. Isso é o que realmente ele é na China, pois o 5, para os chineses, não é o número que se segue ao 4, mas representa a unicidade do 4, que, por sua vez, representa a unicidade do 3.

No mundo ocidental, a única situação em que encontrei um modo semelhante de contar foi a da especulação da Trindade. Um homem famoso, Joaquim de Fiori, acreditava sinceramente e entendia que a Trindade era três hipóstases da Divindade, mas também que eram todas uma – não três pessoas distintas, mas três hipóstases da mesma coisa. Assim, disse ele, a Trindade tem uma substância comum, e depois começou a falar da substância comum como o quarto elemento, mas o Papa condenou-o por tentar introduzir uma quaternidade celeste em vez de uma Trindade. Porém, de Fiori o fez mediante uma conta: se o 3 é 1, então existe uma unicidade do 3, essa unicidade pode ser hipostasiada separadamente; logo, 1 tem o 4. Maria, a Profetisa, alquimista de origem judaica que viveu por volta de 273 d.C, também hipostasiou o 3, e obteve o 4.

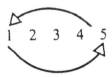

Figura 14. Número em progressão – o contínuo de um.

Há a mesma coisa na alquimia, no ensino da quintessência. Na Idade Média, não acreditavam que a quintessência fosse mais um elemento adicionado aos outros quatro; pensavam que toda a natureza consistia em quatro elementos e que a quintessência, o quinto, era o um do quatro. Em outras palavras, há quatro elementos – Água, Fogo, Ar e Terra – que têm subjacente uma substância comum, a quintessência. Assim, uma vez mais, os quatro elementos retrogradam para a sua unicidade e, depois, hipostasia-se um quinto elemento para a quintessência.

Vemos aí que o nosso modo de pensar é retrógrado: retornamos novamente ao 1 – que é, de modo geral, o inconsciente – e, mediante o processo da hipóstase, obtemos o quinto. Logo, em nossa mente, fazemos exatamente o mesmo que Fa Tzang, para quem os números também deviam ser contados em regressão.

Ocorre, então, um fato interessante. Em todos os métodos de adivinhação, que, a meu ver, constituem tentativas primitivas da humanidade para contar a energia psíquica e suas constelações, as contagens são feitas de trás para a frente. No *I Ching*, tomam-se cinquente hastes de milefólio e uma é posta de lado. Depois, apanha-se um feixe, que é contado de trás para a frente até haver um remanescente de uma, duas, três ou quatro hastes, de modo que, literalmente, a contagem é feita por retrocessão; o mesmo ocorre em *todos* os métodos de adivinhação que usam números. Por exemplo, na geomancia apanha-se um punhado de grãos de milho e procede-se à sua contagem de trás para a frente, até ficar um remanescente par ou ímpar, que então é usado como informação. Assim, todos os métodos oraculares, provavelmente por uma razão simbólica, usam a ideia de contar números regressivamente.

O que descrevi é uma operação mental, isto é: quando tenho 3, vejo-o realmente como 1; portanto, o 3 é o 4 e, então, digo que o 4 é realmente 1 caso eu tente pensar em chegar ao 5. Ora, isso é uma etapa no tempo de compreensão, mas só é verdadeiro para a nossa mente consciente. No inconsciente, há um contínuo em que todos os números são idênticos, tal como os arquétipos são idênticos. Ou poderíamos postular que todos os números, sendo ideias arquetípicas, são idênticos no inconsciente, mas se quisermos reconstituir isso ou obter um conceito de tal fato, em nossa mente consciente, teremos, então de fazer a contagem qualitativa desse modo retrógrado.

Encontrei um belo exemplo disso entre os navajos. Creio que foi a dra. Baynes quem me deu um ladrilho moderno dos navajos, no qual figuram as quatro deusas do panteão navajo (figura 15). Elas têm as cabeças quadradas, uma saia e pernas. Essas quatro deusas são representadas dessa maneira e, depois, vem um detalhe curioso, pois a quarta deusa é a primeira deusa invertida. Trata-se de uma visualização da sentença de Maria, a Profetisa. Do 1 vem o 2, do 2 o 3, e o 1 do 3 é o quarto.

Parece tratar-se, pois, de um modo arquetípico de contar: em um determinado número sempre se reverte ao 1, que é hipostasiado como o 4. Foi o que Fa Tzang descreveu como número em regressão, e é o tipo de matemática usada pela maioria das técnicas de adivinhação: conta-se de trás para a frente, até o 1 original, ou o 2, e daí se tira uma conclusão.

Se pensarmos nisso em termos psicológicos, nada há de estranho, pois se estamos em dúvida ou em uma situação incerta, somos geralmente confundidos pelo grande número de aspectos. Uma ação terá esta consequência e outra ação terá aquela. Ficamos confusos e, por fim, não sabemos em que pé estamos. O desejo é de voltar para o significado uno, para o centro de nosso próprio eu, onde existe somente um significado e uma só direção a seguir.

Na geomancia, por exemplo, apanha-se um punhado de seixos inteiramente ao acaso — essa é uma situação multiforme e confusa, da qual não conseguimos enxergar a saída —; depois esses seixos vão sendo jogados fora dois, mais dois, mais dois, e assim por diante. Naturalmente, podemos ficar com um remanescente de um ou de dois seixos, visto que pegamos ao acaso um punhado par ou ímpar deles. Isso tem de ser repetido várias vezes, e do resultado conclui-se qual é a situação da pessoa – expressa simbolicamente – e a pessoa afasta-se da confusão multiforme, de regresso à unicidade original de tudo, ao seu centro, tal como é expresso por esse gesto simbólico ou ritual. É por isso que se usa esse modo retrógrado de contar.

Figura 15. As quatro deusas primevas dos navajos.

Richard Wilhelm, em seus comentários sobre o *I Ching*, explica isso de outra maneira, que considero muito ilustrativa. Os métodos de adivinhação normalmente são usados para dar um prognóstico do futuro e o *I Ching*, em parte, também foi usado desse modo inicialmente. Wilhelm explica a ideia dos chineses quando dizem: se soubéssemos como uma árvore se contrai em uma semente, poderíamos, então, predizer o futuro. Isso é o mesmo que dizer que, se pudermos entender o processo retrógrado de desenvolvimento, poderemos, então, predizer o futuro. Ocorre o mesmo na palavra *Suan chi lai*, que significa enumerar a origem do que acontecerá. Enumera-se por retrocessão até a origem do que acontecerá. Os chineses dizem que o futuro está sempre presente como uma semente, de modo que, se soubermos como uma árvore se contrai em uma semente, poderemos, então, predizer também como a árvore se desenvolverá a partir da semente. Se conhecermos o ponto nuclear, o âmago de uma situação, poderemos predizer suas consequências.

Ora, em linguagem psicológica tudo isso significa que, se conhecermos a mais profunda constelação arquetípica subjacente de nossa situação atual, poderemos, então, em certa medida, saber como as coisas se desenrolarão. Os sonhos arquetípicos são válidos, em média, por três a seis meses – mas, talvez, por dez anos ou uma vida inteira. Tudo depende da grandeza do sonho. Os sonhos provenientes do inconsciente pessoal são válidos por cerca de três dias. É por isso que, com muita frequência, durante uma análise, alguém tem uma sequência de material pessoal; sonhos-sombras, que são reações cotidianas à atitude cotidiana. Trabalhamos com base nesse material e, então, de súbito, como um corte, insere-se nele um grande sonho arquetípico. Interpretado, o paciente não consegue entendê-lo e diz: "Sim, mas o que é que isso tem a ver com a minha situação? Estou impressionado e sinto que, de algum modo, trata-se de um sonho muito profundo, mas não vejo ligação alguma com a minha situação atual". Por minha experiência, temos de dizer:

"Espere", pois usualmente leva de dois a três meses para que tal situação se desenvolva por completo e se converta em uma realidade consciente. Então, de um modo geral ocorrem eventos internos e, por vezes, eventos externos sincronísticos; e, após três meses, em retrospecto, a pessoa poderá dizer: "Ah, agora eu entendo o que o sonho significou". Levou todo esse tempo para vir à tona e, quanto mais profundo for o sonho, mais tempo levará. Desse modo, a pessoa chega à constelação mais profunda e pode predizer o futuro.

A ideia chinesa é a de que se uma pessoa conhece a constelação mais profunda, então conhece a constelação que ainda será válida daqui a dois ou três anos e, praticamente, é assim. Foi por isso que Jung se interessou tanto pelos sonhos das crianças; o mais precoce sonho de uma criança prevê, por vezes, a vida inteira. É como a semente; analisa-se o sonho de uma criança e vê-se a semente de uma vida que, subsequentemente, será uma árvore em toda a sua plenitude. Já se vislumbra a semente no sonho arquetípico de uma criança de 2 ou 3 anos de idade. Poderíamos dizer, portanto, que o que na realidade fazemos em psicologia é também contar retrocessivamente, e penso ter sido isso o que, de fato, levou Freud a atribuir tanta ênfase às primeiras experiências infantis. Ele foi realmente inspirado por essa ideia, mas colocou--a na consciência e somente nos eventos exteriores da infância, ignorando a constelação arquetípica. O sonho infantil é a semente de todo o destino, um *Schicksal* completo, por vezes e, se pudermos ler esse padrão, poderemos, assim, em certa medida, ler o futuro desse padrão vital. Não se pode ser específico, mas é possível, de um modo geral, ler o padrão. Com base nessas experiências, os chineses inventaram esse método de contagem retrógrada, quando usaram os números para a adivinhação.

Chegamos agora a outro aspecto. Notei, como alguns leitores também terão notado, que me contradisse em certa medida. Voltemos à disposição dos números. Por vezes eu disse que os números, qualitativamente, são aquele contínuo que só na sequência de tempo desenvolve outros aspectos, mas é sempre a mesma coisa; e depois usei métodos de contagem retrógrada que voltam a tratar os números como uma entidade separada, descontínua: o 3 era algo diferente do 4 etc. Isso tem a ver com a atemporalidade relativa das camadas mais profundas do inconsciente. Como todos sabemos, Jung pensa que as camadas mais profundas do inconsciente, o que significa especificamente as camadas do inconsciente coletivo na psique, são relativamente atemporais, isto é, fora do tempo e do espaço. Como acabei de mencionar, por vezes, em um sonho infantil, todo o destino de uma pessoa já está presente; o futuro está, por assim dizer, presente no inconsciente. Mas como experiência consciente, esse ser humano poderá levar mais de vinte, trinta ou sessenta anos para concretizá-lo; assim sendo, devemos admitir que certas constelações arquetípicas são relativamente eternas. Eu não gostaria de dizer eternas, porque até agora só podemos observar que elas são relativamente atemporais, ao passo que a nossa mente consciente – o pensamento discursivo e todos os processos da consciência – está vinculada ao tempo. O conceito de tempo, seja qual for o seu significado, certamente está vinculado ao fluxo de energia na consciência, porquanto os nossos processos conscientes se sucedem uns aos outros.

Há momentos em que o inconsciente não segue essa ordem; por exemplo, no modo como certos matemáticos descobrem suas teorias. Henri Poincaré descreve como trabalhou, durante longas semanas, em um problema envolvendo o que hoje se chamam funções automórficas. (Não tentarei explicá-las, porque eu mesma não as entendo; trata-se de um complicado conceito de matemática superior.) Ele se achava incapaz de encontrar a solução e pouco depois foi chamado para o serviço militar. Uma noite em que estava muito fatigado, tomou café e perdeu o sono; subitamente ele viu, como ele mesmo descreve, ideias e combinações voando ao seu redor como átomos no espaço, combinando-se, separando-se de novo e, de repente, fizeram o tipo certo de ligação e ele viu a solução completa! Em um abrir e fechar de olhos! Levantou-se, mas levou mais de meia hora para desenvolver o procedimento da prova e passar tudo a limpo. A mente consciente necessitou de meia hora de argumentação, um argumento após o outro: disto segue-se aquilo, daquilo segue-se aquele outro, até que finalmente obteve a prova que o tornou famoso no mundo da matemática – mas ele *viu* tudo isso num relance.

O mesmo ocorreu com o célebre matemático Gauss. Da mesma maneira, ele descobriu um dos teoremas dos números. Contou ele: "Minha mente estava absorta no problema, mas era incapaz de vislumbrar a solução; então, de súbito, pela graça de Deus, num relâmpago vi a coisa toda, mas mesmo depois não pude dizer como cheguei à solução ou o modo como argumentei e que ligação havia". Gauss viu a ordem toda, por assim dizer, atemporalmente, mas depois sua mente consciente teve de trabalhar conforme as linhas de ligação e transformá-la em prova matemática, o que consiste numa primeira, segunda, terceira e quarta etapas, e assim por diante.

Todas essas sugestões apontam para o fato de que no inconsciente não há essa sequência de "um após o outro". Esse é o método a que nossa mente consciente está subordinada – através do tempo e do espaço – trata-se do único modo como nossa mente pode funcionar; mas de algum modo no inconsciente, espaço e tempo se tornam relativos ou, se não se dissipam, tornam-se ao menos muito flexíveis e deixam de ser válidos como em nossa consciência.

Os chineses, portanto, quando tentaram descrever a totalidade do universo, recorreram à ideia do estabelecimento de duas ordens. O leitor lembra-se do *Lo Chu* e do *Ho-tu*. O *Ho-tu* está ligado ao que eles chamam a ordem eterna do universo, em que céu e terra se opõem mutuamente, com os elementos dispostos de acordo. Trata-se, de certa forma, de uma mandala na qual todas as possibilidades arquetípicas estão dispostas; um campo arquetípico a que chamam de ordem eterna e no qual dizem que os elementos estão em conexão de energia, mas não se combatem nem se movem. Isso significaria, por exemplo, que existe fogo e água, e que eles estão numa espécie de tensão de energia entre si, como num campo magnético, mas que não se deslocam nem giram, estando numa espécie de imobilidade animada. Se quiséssemos, num símile poético, poderíamos comparar esse fato com a libélula, que pode pairar no ar como um helicóptero, enquanto executa movimentos muito frequentes com as asas; ela se movimenta mas permanece completamente estacionária; é assim que poderíamos imaginar essa ordem. Ela está plena de tensão e de vibração interior, mas como um todo está imóvel e, por conseguinte, não se inscreve no tempo ou no espaço.

A segunda mandala foi feita pelos chineses para descrever a ordem do universo, que eles denominam de Ordem Celestial Mais Jovem. Esta é construída conforme a matemática, com base no *Lo Chu*, de modo que se pode dizer que ela se movimenta ciclicamente, em um ciclo temporal. Na China, como na Índia, eles tinham a ideia de um ciclo, de um movimento cíclico do tempo.

Imaginar o tempo como um movimento cíclico, e não como um movimento linear, é tipicamente oriental. Assim, uma ordem está vinculada ao tempo, enquanto a outra, não: é eterna. Foram chamadas de a Ordem Celestial Mais Velha e a Mais Jovem.

Uma das mais antigas formas de adivinhação consistia em desenhar a eterna Ordem Celestial Mais Velha em uma prancha redonda, representando o céu, e a Mais Jovem, em uma prancha quadrada, para representar a terra. Através de um orifício no centro de cada prancha, faziam passar uma vara. Giravam as duas, uma contra a outra, e depois deixavam que se imobilizassem;

pela maneira como as duas se combinavam, como em uma roleta, liam a situação.

Essa é uma das mais antigas formas de adivinhação; só recentemente essas duas pranchas foram escavadas na China e são, provavelmente, mais antigas do que o *I Ching*. O que me parece de suma importância é a ideia de haver dois sistemas interagentes que, desse modo, representam a totalidade.

5ª PALESTRA

Em seu estudo sobre a sincronicidade, Jung enfatiza que, como os domínios físico e psíquico coincidem dentro do evento sincronístico, deve haver em algum lugar, ou de algum modo, uma realidade unitária – uma realidade dos domínios físico e psíquico, para a qual ele usou a expressão latina *unus mundus*, o mundo uno, conceito que já existia na mente de alguns filósofos medievais. Esse mundo, diz Jung, não pode ser visualizado por nós e transcende, por completo, a nossa apreensão consciente. Só podemos concluir ou pressupor a existência em algum lugar de tal realidade, uma realidade psicofísica, como poderíamos chamá-la, que se manifesta esporadicamente no evento sincronístico. Posteriormente, em *Mysterium Coniunctionis*, Jung diz que a mandala é o equivalente psíquico interno do *unus mundus*.

Como sabemos, isso significa que a mandala representa a unicidade essencial da realidade interna e externa, e aponta para um conteúdo psicológico transcendente, que só pode ser apreendido indiretamente, por meio de símbolos. As muitas formas da mandala parecem apontar para essa unicidade, sendo os eventos sincronísticos o equivalente parapsicológico do *unus mundus* e apontando, também, para essa mesma unicidade dos universos psíquico e físico. Portanto, não surpreende encontrar na história combinações desses dois motivos, isto é, das estruturas da mandala e das tentativas passadas de adivinhação, a fim de apreender a sincronicidade. Eu chamo essas mandalas de mandalas divinatórias.

Há muitas técnicas de adivinhação em que uma mandala é o instrumento, sendo as mais conhecidas o horóscopo e horóscopo de trânsito. Já descrevi, em linhas gerais, as duas ordens mundiais dos chineses que eram desenhadas em duas pranchas que eram giradas uma contra a outra para fins de adivinhação. Existem muitas outras de tais mandalas, também encontradas na Antiguidade; por exemplo, na medicina antiga, havia as chamadas esferas de adivinhação. Registravam-se a idade do paciente, o dia, o mês e a posição da lua em que ele adoecera, e essa informação era rodada na mandala matemática até ser alcançado o prognóstico. Se os resultados numéricos caíssem na parte inferior das esferas, o paciente morreria; se caíssem nas partes superiores, então ele iria se recuperar.

Esses círculos ou esferas também eram usados para a adivinhação em geral. Por exemplo, se um escravo fugisse, podia-se perguntar se ele voltaria ou seria encontrado, ou se estava perdido para sempre. O método usado era o mesmo, ou seja, tomavam-se a idade do escravo, o dia em que ele havia fugido e alguns outros números; tudo isso era registrado nessas esferas e, segundo o lugar onde caíssem os resultados, pensava-se ficar na posse de informações sobre o desfecho da situação.

Essas técnicas um tanto absurdas mostram que, no fundo da mente das pessoas que as inventaram, estava a ideia de que o possível conhecimento, que poderiam obter acerca de tais eventos, estava ligado ao *unus mundus*, o que explicaria por que as desenhavam em forma de mandala.

O aspecto mais impressionante é que, toda vez que mandalas foram usadas para a adivinhação, era frequente o uso de estruturas de *dupla* mandala, isto é, de duas rodas que se entrecruzam, sendo uma roda geralmente fixa, representando um aspecto da realidade, enquanto a outra gira sobre a roda fixa; a combinação das duas é usada para a adivinhação. Essas mandalas duplas na China (nós também as temos), que giram uma contra a outra, são, como mencionei antes, a Ordem Celestial Mais Velha, um arranjo das 64 possibilidades ou permutações dos hexagramas do *I Ching*; e a Ordem Celestial Mais Jovem, que tinha uma disposição diferente dos mesmos trigramas e hexagramas do *I Ching*. Na Ordem Celestial Mais Velha não há processos temporais de energia, mas uma espécie de dinamismo em equilíbrio consigo mesmo; enquanto na Ordem Celestial Mais Jovem está representado um processo cíclico de energia.

Em seu estudo sobre a sincronicidade, Jung também chegou à conclusão de que os eventos sincronísticos não são apenas acontecimentos irregulares e esporádicos, sem qualquer ordem. No final do estudo, ele formula a hipótese de que se trata de fenômenos aleatórios do que ele chama de ordenação acausal. Em outras palavras, teríamos de pressupor que há, tanto na realidade psíquica quanto na física, uma espécie de ordem ou ordenação atemporal, que se mantém sempre constante, e que os eventos sincronísticos se enquadram na área desses acontecimentos, dos quais são concretizações esporádicas singulares.

Como exemplo de ordem acausal no mundo físico, Jung menciona a deterioração radioativa e a sua ordem temporal constante. Chama-lhe acausal porque não temos possibilidade de explicar causalmente por que a deterioração radioativa ocorre nessa ordem numérica, e não de algum outro modo. Trata-se, por assim dizer, de uma história do tipo "é assim mesmo". Como exemplo da constância da ordenação acausal no domínio psíquico, Jung menciona as qualidades dos números inteiros naturais. Por exemplo, não podemos dizer por quê, ou explicar causalmente por quê, certos inteiros são números primos e por que estão dispostos do modo como estão; também isso é uma história do tipo "é assim mesmo"; simplesmente, um fato que não podemos reportar a uma causa. A questão do porquê, ou de onde provém isso, é irrelevante nesse momento; apenas podemos dizer que isso é como é.

Eis, portanto, o que Jung entende por ordenação acausal. Significa certas ordens nos domínios mental e físico, que são a sua melhor expressão. Trata-se de uma história do tipo "é assim mesmo". Porém, o mais impressionante é a sua absoluta constância, pois não ocorrem desvios ou variações individuais. Podemos admitir, portanto, que há na natureza certo montante de ordenação acausal, certas ordens que as naturezas física e psíquica conservam, produzindo, dessa forma, mediante esses eventos constantes, uma ordem constante. Os eventos sincronísticos seriam manifestações dessa ordenação acausal; mas em contraste com os eventos regulares e, por conseguinte, completamente previsíveis, o evento sincronístico ocorre dentro dessa ordem, mas é único, esporádico e imprevisível.

Quando Jung apresentou pela primeira vez sua hipótese do princípio de sincronicidade, houve muita discussão sobre se ainda não seria possível uma lei sob a qual os eventos sincronísticos teriam certa regularidade ou obedeceriam a certas leis e, por conseguinte, tornar-se-iam previsíveis, de modo que então pudéssemos então dizer: em tal situação, *deve* ocorrer um evento sincronístico. Não foi possível descobrir isso até agora, e Jung, após longa discussão e reflexão, concluiu que temos de admitir, por mais que isso irrite nossa mente racional, que os eventos sincronísticos são histórias do tipo "é assim mesmo".

Mas pode-se perguntar: por que, então, a humanidade sempre tentou, desde o começo, inventar métodos para predizer a sincronicidade? Ao que se poderia responder que a mente primitiva é que confundiu sincronicidade e causalidade; isto é, as pessoas queriam realmente predizer de um modo causal, mas como não pensavam com clareza, tinham em suas mentes confusas uma espécie de concepção mágica de sincronicidade e causalidade e, portanto, supunham ser possível predizer. Isso pode ser verdadeiro até certo ponto, mas se observarmos mais meticulosamente o que acontece nas diferentes técnicas de adivinhação, conclui-se que os eventos reais nunca são previstos, mas apenas a *qualidade* de *possíveis* eventos.

Por exemplo, em astrologia, se uma pessoa muito idosa tem um número extremo de constelações negativas em seu horóscopo de trânsito, o astrólogo poderá arriscar o palpite de que essa pessoa provavelmente logo sucumbirá, de modo que se poderá falar em possível morte. Discuti isso com vários astrólogos e todos eles confirmam não ser possível predizer, por exemplo, a morte de uma pessoa por meio de um horóscopo; tudo o que se pode dizer é que parece haver uma constelação muito difícil e que, se a pessoa já está velha e doente, há a possibilidade de que, em tal data, sua morte ocorra.

Se o leitor está familiarizado com a técnica de jogar o *I Ching*, verá que ele também não prevê o que de fato acontece – apenas diz "azar inesperado" ou alguma coisa no gênero e, então, acontecerá algo nessa área; mas não pode predizer que o jovem leitor receberá uma carta de sua mãe dizendo que não lhe mandará mais dinheiro. Ou seja, isso não é lido no *I Ching*; o que se consegue ler apenas é "azar inesperado" ou coisa parecida. Em outras palavras, a previsão se refere tão somente à qualidade do momento em que um evento sincronístico poderá ocorrer. É esse o motivo pelo qual, por exemplo, os adivinhos, os médicos--feiticeiros etc. jamais juram que alguma coisa acontecerá inevitavelmente, mas limitam-se a dizer que há apenas a probabilidade ou a possibilidade de que aconteça algo nessa área.

O mesmo é válido até para os sonhos prognósticos. Outro dia, um amigo meu me contou que, vários anos atrás, quando costumava praticar assiduamente o alpinismo, teve um sonho, antes de partir em uma expedição, de que uma avalanche de pedras iria matá-lo. Ao despertar pela manhã estava muito preocupado e considerou se deveria ou não cancelar a expedição; porém, depois achou que, se a cancelasse, iria sentir-se um covarde e teria vergonha de si mesmo. É provável que sua curiosidade também tenha sido aguçada para saber se aquilo aconteceria ou não. Assim, decidiu partir de qualquer jeito, mas tomou um segundo guia, que não tinha utilidade alguma, como já veremos, mas que representava para o meu amigo a ideia de que tinha de tomar precauções. Na verdade, realizaram a escalada e nada aconteceu – exceto que, já no caminho de regresso, houve uma avalanche de pedras que, por um triz, não os apanhou. O segundo guia não teria ajudado em nada e todos eles teriam morrido. Assim, o inconsciente não foi capaz de predizer com rigorosa exatidão o que ia acontecer, mas previu um acidente nas montanhas e, portanto, houve um pouco de "é assim mesmo" naquele lado que não poderia ser previsto. No sonho foi prevista apenas uma probabilidade.

Assim, parece que o conhecimento absoluto das camadas mais profundas da nossa psique inconsciente não pode predizer eventos sincronísticos e outros com tal exatidão, mas pode esboçar uma imagem, mais ou menos enevoada, das possibilidades. É também isso o que as técnicas de adivinhação tentam fazer: elas não definem nem preveem o possível evento sincronístico, porque isso é de fato imprevisível, mas só esboçam, com a ajuda da ordenação acausal, a qualidade de um momento do tempo. Assim sendo, pode-se dizer que, se alguma coisa acontecer, recairá na área desse campo qualitativo. Por exemplo, "acidente nas montanhas" seria, no caso acima, o *slogan* geral e, portanto, não seria provável que significasse um maravilhoso encontro com uma camurça, mas, outrossim, que aconteceria algo na área de um acidente nas montanhas. A expectativa inconsciente estava voltada para essa área, mas o evento concreto e o modo como ocorreria realmente não eram previsíveis. Isso é válido para todas as técnicas divinatórias.

Isso nos leva ao problema do tempo, e é interessante verificar que mesmo na física moderna alguns físicos chegaram a problemas semelhantes. O físico francês Costa de Beauregard tenta resolver o problema sem conhecer nada a respeito de Jung. Escrevi-lhe perguntando se conhecia a obra de Jung e ele me respondeu que só conhecia a de Freud, mas que, depois do que eu lhe contara, iria ler Jung. Assim, a sua teoria foi formulada de um modo completamente independente das ideias junguianas. Beauregard é professor de física na Sorbonne, em Paris, pertence ao grupo de relativistas entre os físicos e está especialmente interessado no problema do tempo.

No livro de Beauregard intitulado *Le second principe et la science du temps*, ele chega à conclusão de que existem duas áreas da realidade e, portanto, dois tipos de tempo. Um tipo é a realidade física concreta, tal como os físicos a conhecem, realidade na qual o tempo geralmente é representado por um parâmetro; isso significa que o tempo é concebido linearmente. É o mesmo modelo de pensamento que apresentei no começo de minha palestra sobre a causalidade. Concebemos o tempo como uma linha de eventos e, portanto, o representamos em modelos físicos da realidade por meio de um parâmetro linear. Isso, diz Beauregard, está estreitamente ligado à nossa consciência, ao passo que o mundo real, na acepção relativista da palavra, é um mundo tetradimensional e atemporal. Só a nossa consciência caminha ao longo das linhas do mundo, de modo que o fenômeno do tempo linear está vinculado à nossa consciência e, concomitantemente, também à probabilidade, no sentido físico da palavra, e ao princípio de irreversibilidade.

Em outras palavras, por causa da entropia, há certa perda de energia em todo e qualquer processo, de modo que, em cada evento, a meta ostenta um potencial de energia inferior ao do estágio inicial. Isso significa que a energia do universo "declina", por assim dizer, na direção da entropia; a irreversibilidade de todos os eventos reais observáveis na consciência favorece o fato de o tempo ser linear, de haver um curso de eventos que é, digamos, irreversível. Beauregard formula, então, a pergunta: "Não existirá, também, outra área da realidade em que o aspecto contrário é verdadeiro?".

Os físicos têm toda espécie de estranhas projeções sobre isso. Alguns, por exemplo, imaginam que, longe, muito longe, em algum lugar nos confins do universo, existe um mundo de "antimatéria", onde todos os processos que podemos observar em nosso mundo são invertidos. Ninguém provou ou observou esse mundo; é apenas uma imagem mental baseada na noção de simetria ou equilíbrio – o sentimento de que, se vivemos num mundo em que tudo declina da energia, deve existir em alguma parte um lugar onde a energia é acumulada.

Beauregard tem outra ideia, ou seja, a de que um mundo tetradimensional, na acepção minkowski-einsteiniana da palavra, é idêntico ao inconsciente, e a isso ele chama de "alhures". Nesse alhures atemporal, nesse *ailleurs*, estão processos em que ocorre o oposto, isto é, sistemas de carga de energia superior são desenvolvidos. Esse alhures (*elsewhere*) tetradimensional participa do mundo da informação ou da representação de imagens mentais. Em outras palavras, para ele, esse outro lugar é algo psíquico, algo inconsciente e algo onde se estruturam representações. Beauregard o chama também de informação, mas define informação como representação mental. Esse mundo estruturado é complementar do mundo físico, onde tudo se deteriora, e possui sistemas de carga de energia superiores aos do nosso mundo físico. Ele explica que isso possibilita ao homem – que participa desse *ailleurs* psicológico, esse mundo de representações –, mediante atos de volição, interromper ele próprio o curso da natureza e voltar a construir sistemas de ordem superior. Desse modo, fazendo uso de seu *background* psíquico, o homem poderá, com efeito, reverter processos "irreversíveis" no mundo físico. No final de seu livro, Beauregard alude a esse outro mundo de uma ordem psíquica, no qual se estruturam os sistemas de cargas de energia superior, e afirma que isso é idêntico à sua ideia de Deus.

Há toda uma sorte de pontos, quando se considera essa teoria de Beauregard, que, em minha opinião, são muito tênues. Não estou absolutamente convencida, mas diria que se trata de uma espécie de conceito intuitivo que se aproxima bastante do que Jung chama "o inconsciente coletivo". O que Beauregard descreve como esse alhures tetradimensional, em que representações são estruturadas e de onde a energia é, então, retirada para interferir em eventos físicos exteriores, é o que definiríamos como o inconsciente coletivo. Ele chegou a isso mediante uma espécie de ideia intuitiva semelhante. O ponto que me parece ser um tanto discutível é quando – por causa de sua educação ou formação católica – ele descreve esse outro lugar, para ele o mundo da Divindade, como algo puramente bom, benéfico, benevolente etc., e aí colocaríamos um ponto de interrogação.

Trata-se também, de uma teoria puramente intuitiva, pois não nos fornece provas concretas para as suas ideias. Mas vemos que, mesmo na física moderna, existem hoje desenvolvimentos, principalmente a respeito do problema do tempo, que estão encaminhando eminentes físicos para ideias e descobertas semelhantes ao ponto de vista junguiano.

Outro homem que eu gostaria de mencionar é Albert Lautmann, matemático e físico judeu-francês, fuzilado pelos nazistas aos 32 anos de idade. Deve ter sido uma pessoa muito inteligente, mas que infelizmente publicou apenas um livro, que versa sobre o princípio de simetria e de assimetria na natureza. Ele desenvolveu uma teoria de dois tempos: o tempo linear, que poderá ser representado matematicamente por um parâmetro, digamos, uma linha, e outro tempo a que chamou de tempo cosmogônico. Concebeu este último como um campo no qual, disse ele, "ocorreriam acidentes topológicos". Tentou inventar um modelo matemático para descrever o tempo em dois fatores – um fator linear, por um lado, e um fator de campo, por outro. Isso, é claro, está próximo do ângulo matemático, mas não é a mesma coisa, como tentei descrever antes – embora existam certas ideias destacadamente paralelas, por exemplo, que poderíamos conceber os interiores naturais como um campo contínuo. Lautmann, evidentemente, empregou álgebra e geometria e não se refere aos números inteiros naturais. O seu campo de acidentes topológicos seria, do meu ponto de vista, outra hipótese intuitiva que se aproxima da minha ideia de inconsciente coletivo, concebido como um campo contínuo, ordenado pelos ritmos dos arquétipos.

O que Beauregard não tem à sua disposição e que não lhe podemos acrescentar é que, para nós, os arquétipos seriam, por assim dizer, "máquinas" de produzir cargas superiores de energia. Como expressou Jung, o arquétipo é um fenômeno que produz energia e é, portanto, como poderíamos dizer, negentrópico; trata-se de um fenômeno negentrópico e, neste ponto, poderíamos contestar Costa de Beauregard, dizendo que o *ailleurs* que realmente cria os estados superiores de energia não é aquilo a que ele chama de representações. Beauregard é muito vago no que se refere ao fato de as representações serem conscientes ou inconscientes; ele não estabelece uma distinção constante entre as duas representações – mas poderíamos dizer que as nossas representações conscientes não são máquinas de produzir cargas superiores de energia. Em absoluto. No entanto, com a nossa teoria dos arquétipos podemos provar que *existem* esses centros dinâmicos, centros que produzem energia psíquica e, suplementarmente, as representações de que Beauregard nos fala. Nesse ponto, Beauregard não estabeleceu uma diferenciação suficiente, por desconhecer as nossas investigações.

O que me parece importante é que, se considerarmos a teoria matemática de Albert Lautmann ou a teoria física de Beauregard do ponto de vista psicológico, vemos que houve um esforço no sentido da construção de uma espécie de dupla mandala, mas na forma de uma teoria de dois sistemas complementares: um vinculado ao tempo e outro que contém uma ordem eterna. Os físicos modernos se interessam pelo problema do tempo, de modo que recorrem à ideia da dupla mandala. Não se expressam nesses termos, mas é claramente perceptível que a teoria deles corresponde a esse antigo padrão de pensamento, a um duplo conceito de tempo.

O problema dos motivos duplos tem, também, outro aspecto. Se você se recorda, Jung afirma que enquanto escrevia seu estudo sobre a sincronicidade descobriu que os sonhos com motivos duplos parecem referir-se usualmente ao problema da sincronicidade. E conta alguns de seus próprios sonhos e os de outras pessoas; todos obedecem ao mesmo padrão: descobre-se algo impossível na natureza e duas alternativas se apresentam – ou há uma duplicação na realidade de algo impossível, ou ocorre uma coincidência de dois fatos incomensuráveis.

Em um sonho, por exemplo, no sonho de uma mulher, ela encontra nas paredes de uma gruta, já descoberta, mas onde nenhum ser humano jamais estivera, desenhos que parecem ter sido feitos pelo homem. Era como se a própria natureza tivesse feito os desenhos, as cabeças etc.; os desenhos tinham todas as características de terem sido feitos pelo homem, embora tal fato, objetivamente, não fosse possível. Em outro sonho, uma pessoa vê um frango unicelular na tundra da Rússia setentrional. Jung conclui que sonhos desse tipo apontam para a possibilidade de algo evidentemente impossível; coisas que são totalmente impossíveis de acordo com a nossa visão consciente da natureza, mas que, do ponto de vista do inconsciente, existem de fato. Com muita frequência, há motivos, por exemplo, de artefatos, que pensamos só poderem ser produzidos pela psique humana, como certos desenhos rupestres, mas que foram criados pela própria natureza. Jung usou esses sonhos para assinalar o princípio de sincronicidade, isto é, no evento sincronístico, dois fatores, que se apresentam inconcebivelmente como um, coincidem ou convertem-se em um.

Observei o mesmo em meu próprio inconsciente. Enquanto estava debruçada sobre esses problemas, sonhei que estava em um trem com muitos matemáticos. Eu tinha ido apenas para me despedir deles, mas o maquinista do trem gritou: "Se você quer sair desse trem, apresse-se, porque ele está partindo". Assim, no último minuto, saltei, quando o trem já estava em movimento. Os matemáticos tinham partido; que fazer agora? Depois, aproximei-me de uma mesa sobre a qual havia fragmentos de escavações de uma antiga civilização hindu. Era o costumeiro material dos museus. Havia pequenos fragmentos de cerâmica, e não se podia realmente imaginar o que seriam, mas eu sentia um grande respeito por serem tão antigos. Não eram muito atraentes, devo admitir, mas entre eles estava um copo de cristal com a figura de um jovem segurando um cacho de uvas, uma figura de Dioniso, ou de um deus semelhante a Dioniso. Isso talvez se referisse ao espírito vivo da natureza.

Depois, continuei e subi as montanhas, onde vi, como usualmente acontece nas altas montanhas suíças, cabanas de madeira marrom, algumas com pequenas hortas ao redor, apenas com algumas cenouras etc., para as pessoas que vigiam o gado nessas alturas. As entradas das hortas eram sempre marcadas por duas pedras. As pessoas assinalam com frequência as entradas com duas pedras ou pilares de pedra, como havia aí; no entanto, agora vem o detalhe surpreendente: as duas pedras eram pedras comuns do campo, apanhadas ao acaso e de formato irregular, mas havia sempre duas e, dentro delas, via-se um padrão matemático de linhas douradas. *As duas pedras e seus respectivos padrões eram completamente idênticos.* Não haviam sido cortadas para se tornarem iguais; eram duas pedras diferentes, apanhadas individualmente, e cada uma delas tinha o seu padrão absolutamente idêntico; algo que era absolutamente impossível na natureza. Eu contemplava essas pedras com temor e perplexidade: como explicar aquela coisa impossível?

Era mais outro sonho comparável aos que Jung descreve em seu estudo sobre a sincronicidade. Eles mostram, como Jung sublinhou, que deve haver um fator formal na natureza que coordena, por assim dizer, certas formas do mundo físico com o mundo psíquico, dois mundos incompatíveis. Mais tarde, Jung assinalou frequentemente que, se as pessoas sonham tais coisas impossíveis, em geral isso significa que elas têm uma visão excepcionalmente racional da realidade, e o inconsciente quer mostrar que *existe* algo milagroso, que não obedece às leis da natureza, tal como racionalmente as concebemos – que existe algo além disso. O que também impressiona é o fato de haver um duplo motivo, que contém um elemento de simetria, como nas mandalas duplas, que são mutuamente simétricas.

Os motivos duplos, como usualmente os interpretamos, de um modo geral referem-se a algo que está chegando ao limiar da consciência. Se alguém sonha com dois cães idênticos ou pessoas idênticas etc., isso significa que esse conteúdo está subindo do inconsciente e acercando-se do limiar da consciência; ao atingir o limiar, divide-se em dois. Penso ser por isso que também temos, a respeito de todas as linhas de demarcação, essa ideia de colocar pedras duplas, pilares duplos etc. Sempre usamos um duplo indicador no limiar; trata-se de um irrefreável impulso simbólico, sugerindo que o limiar da consciência é um fenômeno duplo, por assim dizer, o que, tudo somado, apontaria para o fato de que aquilo que chamamos de tempo é uma ideia arquetípica, ainda não propriamente consciente para nós. Ainda não sabemos o que é o tempo, realmente, e, segundo parece, chegou o momento em que o arquétipo do conceito de tempo está se avizinhando do limiar da consciência.

Até onde posso ver, há em toda parte essa ideia de duas ordens, que chamarei agora, como fez Jung, de ordenação acausal, que é atemporal, por um lado, e de eventos sincronísticos, que se inscrevem no tempo linear, por outro. Temos agora o grande problema: como estão ligadas essas duas coisas? Como o *ailleurs* de Beauregard se relaciona com o seu mundo cotidiano físico? De que modo o tempo cosmogônico de Lautmann se relaciona com o tempo de parâmetro linear? Como o princípio de ordenação acausal, que pertence ao mundo da física e ao inconsciente coletivo, segundo Jung, se relaciona com o mundo de tempo e espaço, dado só podermos concebê-lo em nossa consciência?

Como não dispomos de outras informações, de momento só podemos observar os produtos do inconsciente, isto é, as mandalas duplas, e ver como estão ligadas. O detalhe interessante é que essas mandalas duplas são geralmente representadas como rodas, duas rodas ou dois discos, mas quase sempre rodas (figura 16). Se recortássemos esse diagrama em cartão e tentássemos fazer tal coisa, veríamos que essas rodas não podem girar, pois iriam se destruir mutuamente. Apesar de tudo isso, esses modelos de dupla mandala pressupõem que uma roda está girando e a outra está parada; mas, se uma roda girasse, cortaria a outra em duas partes e vice-versa; e, se ambas girassem, haveria simplesmente uma explosão que destruiria tudo. Quero dizer com isso que, do ponto de vista mecânico, as duas rodas não podem girar.

Assim, todas essas referências simbólicas ao encontro desses dois mundos parecem mostrar que o mundo do tempo e o mundo da ordenação acausal, fora do tempo, são dois sistemas incompatíveis, que não podem ser combinados, mas que são complementares. Quer dizer, eles são mais do que complementares – são incompatíveis e não podemos imaginar como se ligam entre si, o que, provavelmente, também é a razão pela qual não podemos estabelecer qualquer lei de sincronicidade, pois, nesse caso, as rodas teriam de estar coordenadas de certo modo.

O único ponto onde os dois sistemas se ligam é no orifício do centro, o que significa que não se ligam em parte alguma, ou num buraco. Esse orifício misterioso entre os dois mundos também está representado, de forma unilateral, no relógio chinês de incenso. Os chineses tinham relógios muito precisos antes de se familiarizarem com os nossos mecanismos de relojoarias, mas o sistema deles baseava-se em um princípio completamente diferente do nosso. Construíam uma mandala em forma de labirinto, na qual introduziam um pavio semelhante ao que usaríamos em uma bomba de retardamento, ou em um rastilho de pó, com a mesma qualidade do detonador de uma dessas bombas, ou seja, que ficasse ardendo, ardendo, durante certo tempo. Acendiam, então, esse pavio e tapavam-no, de modo que ele continuasse ardendo lentamente; para saber que horas eram, a pessoa tinha apenas de levantar a tampa e ver que ponto fora atingido pelo fogo no pavio ou rastilho. Essa era a hora. Eles inventaram até relógios despertadores com esse sistema: a determinadas partes desse pavio atavam uma pequena pedra; quando a pessoa ia dormir, colocava o relógio acima da cabeça; quando o fogo atingisse esse ponto do pavio, a pedra caía sobre a cabeça e ela acordava. Isso ainda é usado na China por eruditos e monges, pois onde não se dispõe de outros tipos de relógio, há esses relógios de incenso, como são chamados; e, segundo Joseph Needham, eles são bastante precisos e completamente satisfatórios para a vida prática.

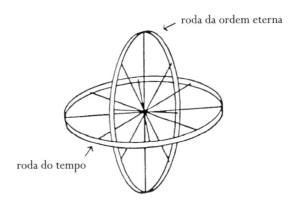

Figura 16. Mandalas duplas – duas espécies de tempo.

Nesse caso, o fato interessante é que o tempo na China é concebido como um campo onde ocorre um processo de energia padronizado e, por conseguinte, inventou-se esse dispositivo que funciona na forma de um relógio. Também aí existe um orifício, por onde a fumaça escapa e onde é introduzido o pavio. Portanto, o tempo possui um orifício onde o homem interfere, onde o homem entra em cena. Não existe tempo absoluto. O mesmo ocorre com os nossos relógios: em alguns, é preciso dar corda ou, agora que há outra técnica, o nosso próprio movimento lhes dá corda; mas se o relógio não for usado, se o deixarmos sobre uma mesa, esquecendo-o, ele não funcionará. Assim, no orifício no tempo, no tempo medido, *o homem interfere*. Isso é apenas uma pequena analogia, em nível técnico, de um problema muito mais profundo, ou seja, esse orifício da eternidade.

Na Idade Média, a *anima*, ou uma matéria como a *anima*, também foi identificada com a Virgem Maria, e existem muitos textos alquímicos e também certos hinos eclesiásticos oficiais em que a Virgem Maria é cognominada "a janela da eternidade" ou "a janela da evasão". De acordo com a nossa definição moderna, a figura da *anima*, em um homem, é a ponte entre o inconsciente pessoal e o coletivo, e também leva o título de janela da evasão ou janela da eternidade.

No final de *Mysterium Coniunctionis* Jung cita extensamente a obra do alquimista Gerhard Dorn, em cuja filosofia a janela da eternidade ou o *spiraculum aeternitatis* também desempenha um papel importante. *Spiraculum* é o respiradouro através do qual a eternidade sopra para o mundo temporal. Vemos, portanto, que esse lugar de encontro, que é um vazio, constitui uma representação arquetípica que, na filosofia mitológica e alquímica, se apresenta como o lugar em que o domínio pessoal da psique, incluindo o inconsciente pessoal, estabelece contato com o inconsciente coletivo. É como se o inconsciente coletivo fosse a ordem eterna, e o inconsciente pessoal e a consciência pessoal fossem, em conjunto, a ordem vinculada ao tempo, sendo sua ligação realizada pelo orifício.

Jung interpreta esse *spiraculum aeternitatis*, esse respiradouro para a eternidade, como a experiência do *Self*. Diz ele que, mediante a experiência do *Self*, podemos fugir e nos libertar da influência dominante de uma imagem unilateral do mundo.

Ora, a realidade só é real na medida em que estamos conscientes dela. É a consciência, portanto, que organiza e seleciona para nós a imagem da realidade em que nos movemos o tempo todo, realidade que é uma gaiola – ou uma prisão. O orifício, que é a experiência do *Self*, quebra essa gaiola ou prisão de nossa realidade consciente e, ao fazê-lo, liberta-nos do jugo de seus conceitos unilaterais. Esse orifício, portanto, parece ser como um pivô; o ponto central onde os dois sistemas se encontram. O filósofo chinês Mo Dsi ampliou, no meu entender, o que isso significa em linguagem psicológica prática. Diz ele em *The Doctrine of the Mean* [A Doutrina do Meio-Termo]:

> Só o homem devotado à suprema sinceridade pode desenvolver completamente sua própria natureza e, por meio disso, pode revelar os poderes transformadores e alimentadores do céu e da terra. Só um homem dedicado à completa sinceridade interior pode conhecer o futuro. Essa virtude é realmente uma qualidade da natureza e, assim [quer dizer, se um homem pode conhecer o futuro e está possuído da máxima sinceridade], *pode ocorrer uma união do exterior com o interior* e os modos do céu e da terra podem ser explicados em uma frase. *Esses modos não têm qualquer duplicação* e, assim, produzem coisas de um modo insondável.

Desse modo, na China o céu e a terra, Yin e Yang, estão unidos por meio desse orifício e reúnem-se, também, nesse ponto mais central de encontro, onde "não há duplicação". Como o leitor pode ver no diagrama (figura 16), no ponto central não há duplicação; ela existe em todos os outros lugares, mas nesse ponto há unicidade. Esse lugar de unicidade é o ponto onde o céu e a terra se unem e também o lugar onde ocorre a criação. Desse orifício sai a criação, desse nada provém tudo o que é criado de novo.

Quero recordar que Jung definiu os eventos sincronísticos como atos de criação. Um evento sincronístico é um evento acausal e, portanto, poderíamos dizer que é um ato de criação. Jung acreditava em uma *creatio continua*, como alguns físicos modernos que acreditam haver no mundo em que vivemos um lugar, onde, de tempos em tempos, novas coisas são criadas. O evento sincronístico seria esse ato de criação. Isso, naturalmente é axiomático para a mente chinesa, pois eles pensam tão somente em termos sincronísticos, e os atos criativos, que são eventos sincronísticos, provêm desse orifício onde o céu e a terra se encontram. Depois, temos essa bela ideia chinesa de que o homem pode realmente entrar em contato com isso – ele pode chegar ao lugar onde o céu e a terra criam de um modo insondável, sem duplicação, por meio da superlativa sinceridade. Se alguém, despido de todas as ilusões e de tudo o que constitui o mundo do ego ordinário, mergulha em si mesmo com suprema sinceridade, esse alguém chega a esse orifício central onde ocorre a criação, mesmo no cosmos. Por isso os chineses pensavam que certos sábios ou santos, personalidades muito raras, podiam atingir esse centro e, por terem chegado a ele no mais recôndito da personalidade, podiam sustentar o céu e a terra e estar com a criação no universo.

Encontramos esse motivo arquetípico em outra área da adivinhação, que desejo agora mencionar sucintamente, pois também é um belíssimo material. Em seu estudo sobre a sincronicidade, Jung menciona a arte divinatória da geomancia. A geomancia é uma astrologia "terrestrificada". Em vez de usar as constelações de astros para adivinhação, o geomante faz ele mesmo as constelações de astros na terra (*gê* significa terra) e procede depois como na astrologia. Como mencionei antes, usa-se um punhado de seixos ou de grãos de milho, que depois são separados aos pares, deixando-se no final um número par ou ímpar com que se fazem figuras e se constrói algo semelhante aos trigramas do *I Ching*. Com base nesses quaterniões, elabora-se uma carta astrológica para ser lida de acordo com certas regras, à semelhança de um horóscopo.

Posso encaminhar o leitor para um excelente ensaio escrito por K. Josten em *The Journal of the Warburg & Courtauld Institute*,[*] sobre a *Theory of Geomancy*, de Robert Fludd, e sobre as experiências de Josten, em Avignon, no inverno de 1961-1962. Robert Fludd, contemporâneo de Keppler, com quem teve uma famosa controvérsia, era um daqueles que ainda acreditava na arte da geomancia, e o que há de mais extraordinário a seu

---

[*] Vol. 97, 1964, p. 327.

respeito é que tentou formular uma teoria psicológica em torno dela. Fludd não se limitou a usar a geomancia para prognósticos de um modo mágico, primitivo, mas refletiu sobre ela. Em seu estudo sobre a sincronicidade, Jung diz que, lamentavelmente, a geomancia, que seria o equivalente ocidental do que o *I Ching* é para a Ásia, nunca se converteu numa filosofia abrangente, como ocorreu com o *I Ching*. Ela tem sido usada sobretudo apenas para prognósticos primitivos, e isso vale até para o próprio Fludd, que recorreu à geomancia apenas para apurar se deveria se casar com a senhora Fulana de Tal, e se teria muito dinheiro ou não. Ele nunca foi além disso, mas tentou elaborar uma interessante teoria psicológica a esse respeito.

Existe, ainda, outro lugar, neste planeta, onde a geomancia foi transformada filosoficamente em algo que me parece revestir-se de um valor quase equivalente ao do *I Ching* chinês, e isso se deve aos médicos-feiticeiros da Nigéria Ocidental. Eles aprenderam a arte da geomancia com os povos islâmicos do norte. A geomancia era praticada na Índia e em toda a civilização islâmica, mediante a qual chegou à Europa nos séculos X e XI, simultaneamente com a alquimia e todas as outras ciências naturais. Mas também migrou para o sul e caiu nas mãos de alguns médicos-feiticeiros nigerianos. Esse maravilhoso material pode ser encontrado no livro de Bernard Maupoil intitulado *Le Géomancie à l'Ancienne Côte des Esclaves* (Paris, 1943). Esse livro fornece uma completa explicação da técnica da geomancia, especialmente como é praticada no norte da África pela civilização islâmica.

Esses médicos-feiticeiros alimentam uma interessante crença, que faz parte da tradição de sua arte de adivinhação: era graças a um deus chamado Fá que o oráculo geomântico fornecia uma resposta verdadeira, e não em virtude dos mecanismos da técnica divinatória. Esse deus Fá é cultuado por diferentes tribos: os mina, os fon, os iorubá etc. Essas populações têm uma religião politeísta e numerosos demônios diferentes, benévolos e malévolos, aos quais se devotam cultos coletivos que, nos países europeus, são conhecidos como vodu; mas o deus Fá, o pai do oráculo, não é um vodu e não pertence ao panteão dessas tribos pela seguinte razão: um vodu pode sempre produzir transe ou possessão, e pode trabalhar para o Bem ou para o Mal. Existem também, com variações, remanescentes disso entre os nativos do Haiti, onde eles ainda entram em transe e ficam possessos por influência de certos vodus, expressando assim o que eles praticam. Mas Fá, o deus desse oráculo, em contraste com um vodu, nunca faz trabalhos de Magia Negra. Ele só diz a um indivíduo a verdade, e só esse indivíduo, a quem ele diz a verdade, pode saber que se trata da verdade e pode saber que verdade é essa. Fá não tem poder coletivo – esse deus, quando se manifesta, dirige-se apenas a um indivíduo e diz algo que é unicamente verdadeiro para esse indivíduo e para mais ninguém. Portanto, não tem culto nem sacerdotes, nada, porque é simplesmente esse poder da verdade.

Há, nesse caso, certa semelhança com a ideia de Mo Dsi, segundo a qual há um poder de verdade interior que é criativo e que opera nessas coisas. O deus Fá proveio de um país chamado Ifé, o país de onde a humanidade se originou e para onde os mortos retornam. Sabemos que o mundo, a que chamei o *unus mundus*, é em todas as mitologias primitivas a terra dos mortos; os mortos vivem no *unus mundus*, ou nesse mundo transcendente, nesse Além, e esse é o país de Ifé. Fá procedeu daí e, portanto, como é o deus da verdade, o nigeriano diz que, só quando morrermos é que descobriremos o segredo da vida. Enquanto vivermos neste mundo temporal, jamais conheceremos o padrão de nossa vida; vivemos de minuto a minuto, tentando descobri--lo, mas, no momento da morte, teremos o padrão inteiro, iremos vê-lo a partir do outro mundo. Assim, só quando morremos é que descobrimos o segredo da vida. Deus criou o mundo, mas não fez somente coisas boas; Ele também criou o Mal. Fá é o único poder que não quer o Mal, de modo que é diferente de Deus. Deus quer que haja o Bem e o Mal, e criou o Bem e o Mal. Para com o homem, Fá é todo benevolência e sinceridade, e só cria o Bem. Cada ser humano vivo possui uma alma invisível, a que os fon chamam de Ye, o princípio vital ou alma; mas o homem não compreende o significado de seu Ye. Quem quer que procure conhecer o segredo de sua vida deve, portanto, ir para Fá, assim chamado porque ele próprio é o único Ye (princípio anímico) que pode revelar a verdade da grandeza da vida.

A palavra Fá deriva do frescor da água e do ar. Cumpre lembrar que, no tórrido clima africano, água e ar frescos são uma experiência incrivelmente positiva, pois se alguém esteve sob um calor inclemente e encontra um pequeno bosque de palmeiras ou uma fonte, é como se tivesse encontrado a vida. Fá é a frescura da água. Nós temos, diga-se de passagem, na Igreja Católica, uma representação semelhante, pois um dos nomes do Paraíso é *refrigerium* e, na linguagem católica, isso significa paz interior. Essas tribos nigerianas dizem, portanto, que toda dificuldade, por mais quente que seja, pode tornar-se estimulante e fresca pelo contato com Fá, desse modo ficando mais fácil de suportar.

Sabemos, por experiência própria, que os nossos sofrimentos neuróticos derivam do fato de estarmos confusos com nós mesmos e com os nossos próprios complexos; se formos sinceros o bastante, no sentido de Mo Dsi, para ver a verdade, até o pior complexo ficará mais tolerável, pois então veremos o significado e poderemos nos livrar um pouco da situação confusa. No mesmo sentido, Fá ilumina todos os seres humanos, Ele nunca esconde nada. Estende sua mão aberta a todos. Um sábio e idoso médico-feiticeiro forneceu a maioria das informações a Maupoil e disse literalmente, com muita clareza: "Todos os feiticeiros tentam descrever Fá com grande pompa, mas embora eu mesmo seja um *bokono* [um feiticeiro], nunca me atreveria a defini-lo. Só a natureza geradora de milagres, que criou Fá, pode falar sobre isso com conhecimento de causa". Assim, no fim de sua vida, o médico-feiticeiro, com efeito, declarou: "Não sei o que é Fá, mas é esse princípio de verdade".

Fá tem muitos títulos. Como todos os grandes poderes nas representações africanas, ele não é muitas vezes chamado por seu nome – eles circunscrevem tais poderes por muitos nomes, que são, às vezes, uma frase inteira, como "Duro como uma pedra". Outros nomes são: "Busca e vê", "Aquele que revela o que cada um tem no seu coração", "Senhor da vida", "Aquele que transmite as mensagens da morte"; talvez um dos mais belos seja "O sol se levanta e as paredes ficam vermelhas". Por fim, um epíteto deveras interessante: "O buraco que nos chama para a eternidade".

Aí temos de novo a *fenestra aeternitatis*, a janela para a eternidade a que os africanos chamam literalmente Fá, o orifício que nos chama para a eternidade. Ele sabe o número de todos os que nasceram, conhece o número das pessoas que morrem; domina tudo, por assim dizer, mas só é amistoso com o homem. Esse é um paralelo arquetípico da ideia medieval da Sabedoria de Deus, representando o lado benevolente e verdadeiro de Javé.

O lado sombrio da realidade não figura nesse retrato de Fá, e seria o caso de se indagar se ele não possui uma sombra, pois todas as figuras arquetípicas têm uma sombra. Ficamos também sabendo que Fá tem uma esposa ou, por vezes, um parceiro masculino, e que esse parceiro ou essa esposa tem o nome de Gba'adu, um vodu terrível. Não se trata de algo individual, mas de algo coletivo e terrível. A maioria dos médicos-feiticeiros africanos diz que não quer ter nenhuma relação com Gba'adu, nem mesmo ter seu fetiche em casa, pois Gba'adu mata, podendo fazê-lo a qualquer instante. Se alguém possuir o seu fetiche, isso é tão terrível que, se usado na magia, poderá matar pessoas e, se usado erroneamente, seu próprio possuidor poderá ser morto a qualquer minuto. Esse fetiche é tão pesado que é melhor não ser manuseado e, portanto, há pouquíssimos iniciados de Gba'adu. Gba'adu quer sangue; ele, ou ela, produz a vida e a arrebata. Gba'adu é o mais forte vodu de Fá; vejamos agora como o definem.

Gba'adu representa *o mais alto conhecimento possível que um homem pode alcançar sobre si mesmo*. Logo, é o mais profundo vislumbre do *Self* (diríamos nós), o que constitui um terrível segredo e tão perigoso que ninguém pode sequer se aproximar dele. Só Gba'adu tem o segredo da morte e só na morte alguém pode alcançar essa compreensão suprema de si mesmo. Gba'adu é o segredo atrás de Fá. Fá é o deus da verdade, que pode acompanhar um indivíduo nesta vida da terra, mas, no momento da morte, fica-se um passo mais próximo do autoconhecimento supremo, representado por Gba'adu.

E qual é o fetiche de Gba'adu? Os poucos médicos-feiticeiros, que o possuem na câmara secreta de suas casas e que só se acercam dele com grande precaução, dizem que ele consiste em duas cabaças sobrepostas. Essa é uma imagem do mito da criação daquelas tribos que acreditam que, no princípio do mundo, o deus-pai e o deus-mãe se deitaram um sobre o outro, como duas cabaças, procriaram uma grande quantidade de filhos, ficando depois sem espaço. Assim é que há, entre essas tribos, o mito generalizado da separação dos pais originais, que tiveram de ser arrancados da sua coabitação eterna, para que entre os deuses pudessem ser criados os homens e o mundo. Essa espécie de núcleo criador do princípio do mundo é representado pelas duas cabaças – e esse é o segredo de Gba'adu.

Quando descobri isso, fiquei completamente desconcertada, pois aí surge de súbito a ideia de uma *coniunctio* cósmica no problema da sincronicidade, o que eu não esperava. Mas, reflitamos agora sobre o material que já apresentei: o movimento giratório dos dois sistemas, as duas pranchas, a Ordem Celestial Mais Velha e a Ordem Celestial Mais Jovem, interpretadas pelos chineses como uma união cósmica, um céu e uma terra de Yin e Yang. Sabemos que a descoberta do segredo da vida é interpretada, em numerosas mitologias, como o chamado casamento pós-mortal, o *hieros gamos*; no momento da morte, ou logo após a morte, há uma união dos dois princípios que se mantiveram separados durante a vida e que, no momento da morte, se convertem num só. É como se aquelas duas rodas somente estivessem separadas durante o tempo de vida de um ser humano, mas que, no instante da morte se fundissem em uma; e isso é interpretado como uma espécie de união mortal.

O mesmo motivo ocorre no oráculo maia dos Maia-Quiché, onde há a lenda da origem de como os Maia-Quiché descobriram seu oráculo de adivinhação, o chamado oráculo Tzité. De acordo com a lenda, no princípio do mundo o universo inteiro era silencioso e havia somente água silenciosa com os deuses escondidos nela. Nenhuma criação ainda havia ocorrido; não sopravam os ventos e não havia som; mas então alguns deuses do panteão Quiché decidiram criar o mundo, para que os deuses pudessem ser cultuados.

Primeiro, eles criaram os animais, mas estes permaneceram calados; os deuses se irritaram e disseram que tinham de criar algo que pudesse ver e falar, que lhes rendesse culto e desfrutasse da luz. Então, fizeram o homem com uma figura de madeira ou de barro, mas aí surgiu o grande problema: deveria o homem ter olhos e uma boca? Não estavam certos disso; nesse momento, porém decidiram fazer o primeiro oráculo Tzité do mundo; e enquanto a serpente da pena verde, que é fêmea, se unia sexualmente com Tepëu, o vitorioso, dois feiticeiros divinos lançaram simultaneamente o oráculo Tzité e cantaram: "Tu, milho! Tu, Tzité! Tu, espada! Tu, criação! Tu, vulva! Tu, falo!" – dirigindo-se ao milho, a Tzité, à espada e à criação – "Desvia teu olhar, ó coração do céu, para não cobrires Tepëu e Cucumaatz de vergonha!". Depois, leram o oráculo, que foi positivo, e assim deram ao homem boca e olhos para venerarem os deuses e, ao mesmo tempo, criaram a luz.

Temos de indagar, portanto, de que modo um evento sincronístico está ligado à *coniunctio*. Penso ser correto dizer que, no momento de um evento sincronístico, a psique comporta-se como se fosse matéria, enquanto a matéria comporta-se como se pertencesse a uma psique individual. Assim, há uma espécie de *coniunctio* da matéria e da psique e, ao mesmo tempo, uma troca de atributos que sempre ocorre no *hieros gamos*. Logo, é de fato verdadeiro que um evento sincronístico é um ato de criação e uma união de dois princípios normalmente não ligados. A atitude em que isso pode ser experimentado é, de acordo com a ideia chinesa – lemos o que disse Mo Dsi – uma atitude de completa sinceridade e, o que é mais interessante, é o fato de isso, para os chineses, ser idêntico a uma atitude lúdica.

Em todas as civilizações primitivas, ritual e atividades lúdicas não podem ser separados. Os rituais são realizados como jogos, ou o jogo é, por vezes, usado como ritual, e vice-versa, ou as duas coisas se combinam. Esse é um fato bem conhecido e exemplificado por todos os rituais chineses, que são ao mesmo tempo um jogo, uma atividade lúdica e um ritual sagrado. Qual é o fator comum, do ponto de vista psicológico? Podemos obter uma resposta dos próprios chineses; dizem eles que um ritual ou um jogo necessita de completa sinceridade e completo desprendimento de desejos ou cobiça. Por exemplo, se queremos jogar limpo, então, joguemos, pois só o jogo limpo é jogo real. O ego que deseja ganhar deve ser sacrificado, pois induz o indivíduo à trapaça. Apesar de toda a paixão com que participe, o indivíduo tem de manter sempre uma atitude sacrificial, sabendo que pode perder e, terá, então, de manter a compostura e não estrangular seu adversário. Portanto, o indivíduo tem de estar completa e apaixonadamente envolvido e, ao mesmo tempo, sacrificar qualquer espécie de desejo do ego.

Essa atitude é idêntica ao que eu chamaria uma *atitude religiosa básica*: estar completamente envolvido na vida e, ao mesmo tempo, pronto para perder num jogo limpo. Os rituais e os jogos, continuam explicando os chineses, necessitam de regras fixas e de certas imagens para regê-los. Sabemos que todos os jogos têm um padrão, de preferência a uma imagem, e que existem regras, mas os jogos mais excitantes têm certa dose de chance, isto é, de liberdade: poderão evoluir em uma direção ou em outra e não são meros eventos mecânicos. Os chineses sempre identificam a ideia de legitimidade na natureza como não sendo uma lei absolutamente determinada, no sentido em que a concebemos, mas tão somente uma probabilidade com certa dose de jogo. Não é uma lei completamente rígida, e o mesmo ocorre com os rituais e com os jogos, nos quais está envolvido um elemento não muito rígido. Assim, os chineses dizem que, mediante um jogo virtuoso e solene, podemos ficar mais próximos de descobrir a ordem objetiva do universo.